C000271856

LA FABRIQUE DES MOTS

Après *La grammaire est une chanson douce* (2001), *Les Chevaliers du Subjonctif* (2004), *La Révolte des accents* (2007) et *Et si on dansait ?* (2009), *La Fabrique des mots* clôt la balade d'Erik Orsenna au pays de la grammaire française.

Camille Chevrillon a fait ses armes à l'Atelier de Sèvres, puis à l'école Olivier de Serres, avant de s'orienter vers l'École nationale supérieure des Arts Décoratifs de Paris dont elle est sortie diplômée en 2011.

Paru dans Le Livre de Poche :

L'Avenir de l'eau
La Chanson de Charles Quint
Les Chevaliers du Subjonctif
Dernières nouvelles des oiseaux
Deux étés
L'Entreprise des Indes
Et si on dansait ?
La grammaire est une chanson douce
Histoire du monde en neuf guitares
Longtemps
Madame Bâ
La Révolte des accents
Sur la route du papier
Voyage au pays du coton

Avec Isabelle Autissier :

Salut au Grand Sud

ERIK ORSENNA
de l'Académie française

La Fabrique des mots

Illustrations de Camille Chevrillon

STOCK

Les vers reproduits en page 19 sont extraits de la chanson *Le Loup, la Biche et le Chevalier*.
© Maurice Pon/Henri Salvador.
Publiés avec l'aimable autorisation de Catherine Salvador.

Les vers reproduits en page 42 sont extraits de la chanson *Quand je monte chez toi*, paroles de Jean Broussole, musique d'Henri Salvador.
© SEMI/PATRICIA
Publiés avec l'autorisation de la société d'éditions musicales internationales et des éditions Patricia (SEMI/PATRICIA) – Paris, France.

Pour Alphonse, Diane,
Hector, Jeanne, Jude,
Merlin, Nestor, Nils,
Nina et Rose

I

Où les dictionnaires sont incendiés

Méfiez-vous ! Les mots ne sont pas ce qu'on croit : de petits animaux doux et dociles, auxquels il n'arrive jamais rien.

Les mots aiment l'amour. Mais aussi la bataille. Ils se trouvent ainsi mêlés à toutes sortes d'aventures, sentimentales et dangereuses.

Dangereuses pour ceux qui les racontent.

Dangereuses aussi pour ceux qui les écoutent.

Il y a des histoires qui sont des déclarations de guerre.

Voilà pourquoi, moi, Jeanne, je me suis tue. J'ai préféré attendre que le temps passe. J'étais petite, à l'époque, dix ans et quelques mois.

Mais l'heure est venue de parler.

Qu'importent les risques.

Viendrez-vous à mon secours si je suis attaquée ?

Fermez les portes et les fenêtres.

Et pas de papier, aucun crayon, encore moins de mail (on dit aussi « courriel ») ou de SMS. Je ne veux pas de notes. Il ne faut laisser aucune trace. Tendez juste l'oreille. Et ouvrez bien votre mémoire.

Vous êtes prêts ?

Il était une fois…

Ce jour-là, rien n'annonçait le drame. C'était un dimanche. Dès le matin, la mer, tranquillement, sans qu'on le lui demande, avait atteint la température idéale. Vingt-sept degrés. Et les poissons multicolores semblaient nous attendre pour commencer à jouer. Il faut dire que nous les connaissons bien. Nous les appelons par leurs noms : le pygoplite (jaune et bleu, rayé de blanc), l'empereur (queue orange, lunettes presque noires), l'ange géographe (celui qui porte, au milieu de son corps bleu, cette tache jaune qui rappelle l'île de Madagascar…) et la foule de poissons-perroquets (de toutes les couleurs possibles).

Des requins passaient et repassaient. Comme d'habitude. Personne n'en avait peur. Nos squales à nous sont gentils, au contraire des requins mako, tigre, bouledogue, longimane et surtout du grand blanc, le redoutable, le mangeur d'hommes.

Comment sommes-nous devenus si savants ? Mais, les amis, notre cour de récréation est une plage. Vous nous jalousez ? Vous avez raison ! Nous habitons un paradis.

Le vent alizé balançait doucement les cocotiers, juste assez pour que de temps à autre une noix tombe. Un coup de machette et le liquide frais et sucré coulait dans notre gorge.

Vers midi, l'air, déjà riche en parfums divers (vanille, mangue, vétiver…), s'emplit de ces bouffées qui donnent faim : rhum, dorade grillée, citron vert, le déjeuner se préparait.

Et, dès la tombée de la nuit, certaines senteurs d'agneau sur la broche et de goyaves juste ouvertes nous chatouillèrent les narines.

Bref, le bonheur : un jour férié ordinaire dans notre archipel.

20 heures. Le journal télévisé s'ouvrit sur le gros visage rond, chauve et furibard de notre Président à vie et même au-delà : Nécrole.

Pourquoi cette nouvelle colère ?

À Paris, les savants qui mesurent tout ont dû nous croire secoués par un tremblement de terre. Car l'île entière a frémi, sitôt entendues les premières phrases de son discours.

Cet homme-là est capable de tout.

Quelle folie l'avait encore pris ?

Quelle faute impardonnable avions-nous pu commettre pour hériter d'un tel dictateur ?

Il a commencé.

« Bavards !

Vous êtes un peuple de bavards !

Des bavards perpétuels !

Bavards par oral et bavards par écrit !

Je vais vous guérir de cette maladie-là qui nous empêche de tenir notre place dans la compétition mondiale.

Comment travailler quand on parle tant ? »

Nous nous regardions. Bouche bée, c'est-à-dire ouverte.

Enfermé dans son studio, Nécrole poursuivait.

« Écoutez-vous !

Vous parlez tout le temps !

Même la nuit. Je me suis promené dans notre capitale. Nos nuits sont assourdissantes. Vous n'arrêtez pas. Blabla et blabla et blabla. Même en dormant. Vous ne pouvez pas rêver sans marmonner.

J'ai réfléchi. Comment vous sauver ?

Vous avez trop de mots.

Alors j'ai décidé. Dès à présent, j'interdis les mots inutiles.

Lesquels sont autorisés ?

La liste vous en sera communiquée, de même que les mesures annexes.

Et grâce à l'effort de tous, et de chacun, nous aurons tôt fait d'éradiquer cette peste : le verbiage.

Vive la Nation ! Vive ma Présidence à vie ! »

Quelle nouvelle folie avait saisi notre dictateur ? Évidemment, c'était plus facile de déclarer la guerre aux mots que d'affronter le chômage !

Nous étions tous sortis dans la rue pour commenter le discours. Nous ne l'avons pas vue tout de suite, cette fumée qui s'élevait là-bas, vers la colline, ligne noire dans le ciel clair de lune.

Quelqu'un finit par crier :

– Un incendie !

– Ça m'a l'air…

– Oui, ça vient de chez le Capitan.

– Ce serait trop triste. Il y a mis toute sa vie.

– Vite, les pompiers !

Devant la caserne, un cordon de policiers montait la garde. Nous avons crié :

– Alerte ! Alerte ! Ouvrez les portes ! Ça gagnera du temps pour les voitures rouges !

Pas un mouvement chez les forces de l'ordre.

Je m'approchai du sergent (je m'y connais dans les grades) et le secouai.

– Qu'est-ce qui t'arrive ? Tu dors ou quoi ? Tu te rends compte ? Ça flambe chez le Capitan !

Aucune réaction. Je l'entendis juste maugréer : « Je n'y peux rien, les consignes sont les consignes. » Et relevant la tête, je vis la mine désolée de deux pompiers penchés à une fenêtre au premier étage. D'un geste de la main, paume ouverte, comme s'ils essuyaient une vitre, ils confirmèrent. « Nous n'y pouvons rien. »

Nous sommes allés chercher des seaux et avons couru jusqu'à la colline.

Immobile, encore bien campé sur ses deux pieds, tel un boxeur qui a baissé les bras et prend des coups et tangue et ne tombe pas et résiste, pour l'honneur, le Capitan, magnifique et noble sous ses cheveux blancs, regardait brûler sa maison c'est-à-dire l'œuvre de sa vie.

Nous nous sommes précipités vers le puits.

– Inutile, dit une femme, le feu est trop fort.

– Comment est-ce arrivé ? Un accident ?

– Tu parles ! Quatre départs à la fois ! Il ne doit déjà plus rien rester.

Alors nous avons compris, ou plutôt vérifié (car nous le savions depuis si longtemps déjà) que Nécrole était aussi dangereux que ridicule. Le ridicule et la capacité de nuire font souvent excellent ménage. Chez Nécrole, la malfaisance et le grotesque se faisaient la courte échelle pour atteindre des sommets. Comme chez Kadhafi en Libye, comme chez un certain empereur Bokassa, au centre de l'Afrique. Nécrole avait bel et bien commencé de s'attaquer aux mots.

Le Capitan, un jour, m'avait fait visiter son repaire.

– Puisque tu aimes les histoires, Jeanne…

Le cœur battant, j'avais pénétré dans le sanctuaire, une sorte de chapelle tout en bois et, du sol à la voûte, tapissée de livres.

Après un moment de stupeur et d'émerveillement, je m'étais mise à fouiner.

– Cherche, Jeanne, oui, cherche ! Avec ton nez retroussé, tu ressembles à un petit chien.

Quelle déception !

– Mais où sont-elles ?

– Qui donc ?

– Mais les histoires, je n'en vois pas une seule !

Je me souviens. Je marchais de plus en plus vite le long des rayonnages et ne trouvais rien d'intéressant. Pas un livre d'enfant ! Pas une bande dessinée ! Et pas non plus de roman, pas de biographie, rien que… des dictionnaires ! Des dictionnaires aux titres alléchants pour certains, d'accord (*Dictionnaire des papillons d'Asie*, *Dictionnaire des vents du monde*). Mais pour d'autres tellement inutiles (*Dictionnaire arabo-esquimau*, *Dictionnaire des injures slovènes*)…

– Pourquoi, Capitan ? Quelle drôle de collection ! Comme vous devez vous ennuyer avec eux !

– Ne crois pas ça, Jeanne, surtout toi qui aimes les histoires.

Le voilà qui recommençait avec ses histoires. Mais où les voyait-il ?

16

Il s'amusait franchement.

– Un jour, tu prendras la route, Jeanne, sur terre
ou sur mer. Un jour tu t'en iras, c'est ta nature, je le
sais. Mais, lire ou voyager, tu devras choisir. Car les
livres sont trop lourds pour qu'on en emporte beaucoup. Si tu devais choisir un seul livre en guise de
compagnon, lequel prendrais-tu ?

– *Alice au pays des merveilles.*

– Parfait, Jeanne, parfait. Eh bien, tu vois, moi, avant de m'embarquer pour six mois, pour un an autour du monde, je me promène ici, parmi tous mes chers dictionnaires. Ils me supplient, je t'assure, ils m'implorent. Ils me tendent les bras : « Emmène-moi, Capitan ! »

– Je suis jeune, Capitan, expliquez-moi ! Ces pauvres dictionnaires, je comprends qu'ils veuillent voir du pays. On doit compter les heures sur ces étagères et pire, dans le noir. Mais vous ? Quel intérêt pour vous ?

– Les bons dictionnaires racontent la vie de chaque mot.

– Parce que les mots ont une vie ?

– Bien sûr ! Une vie plus longue que la tienne et même que la mienne. Dans chaque dictionnaire, il y a 30 000 à 40 000 mots. Donc 30 000 à 40 000 histoires. En un seul livre !

– Je commence à comprendre.

– Et avec tous ces mots, tu peux construire les histoires que tu veux. Comme un maçon. Tu imagines quelle maison folle il pourrait bâtir avec tant de briques. Les mots sont des briques, Jeanne, nos briques ! Les briques de nos phrases. Les briques de nos rêves. Les briques de notre fantaisie, les briques de notre espérance.

Et maintenant, la bibliothèque brûlait. Dégageant tant de chaleur qu'il était impossible de s'avancer.

Je venais seulement de me rendre compte qu'une foule nous entourait. Et qu'on pleurait tout autour. Je les reconnaissais. Les poètes et les chanteurs de l'île. Qui étaient tous venus emprunter au Capitan l'un de ses dictionnaires de rimes, surtout la nuit, pour qu'on ne les voie pas. Les poètes et les chanteurs aiment bien faire croire qu'ils n'ont comme alliée que la seule inspiration.

Une chanson douce
Que me chantait ma maman
En suçant mon pouce
J'écoutais en m'endormant.

Qu'est-ce qu'une rime, les amis ? Je me suis souvenue de la définition officielle : « Sons identiques à la fin de chaque ligne. »

Oui, des sons qui reviennent sans cesse, comme les petites vagues tout au long de la plage, des sons qui unissent chaque phrase à la suivante, on dirait que grâce aux rimes, elles se tiennent par la main, les phrases, elles forment une ronde aussi grande que la Terre...

II

Où l'on découvre
la liste des mots autorisés

Et puis des jours et des jours passèrent.

Sans que Nécrole donne suite à son discours.

D'autres incendies avaient éclaté, de vieux livres avaient disparu. Mais personne n'avait pu établir de lien entre ces événements malheureux. La véritable guerre n'était pas encore déclarée.

Presque chaque soir, à la sortie de l'école, au lieu d'avancer nos devoirs, nous allions consoler le Capitan. Nous l'aidions à entasser le bois brûlé, à balayer la cendre.

Il ne voulait pas reconstruire. « Trop tard dans ma vie », répétait-il. Alors nous lui faisions le seul cadeau qui l'apaisait : lui prêter nos oreilles. Nous nous asseyions autour de lui et sans fin écoutions le récit de ses voyages.

« Je me souviens, une nuit, à Java. »

« C'était la troisième, non, la quatrième fois que je passais le Horn par le même temps toujours pareil, déchaîné… »

« Un jour, il faudra que je vous parle des saumons de Chiloé… »

Il semblait avoir oublié sa « famille », comme il appelait, avant l'incendie, ses chers dictionnaires.

Il ne reparlait plus que d'un seul, son préféré, le *Grand Dictionnaire des étymologies*.

– Vous savez pourquoi, les enfants ? Parce que grâce à lui, je me promenais dans le temps. L'étymologie, c'est l'étude de l'origine des mots. Vous voulez un exemple ? Attendez que je farfouille dans ma mémoire. Voici. *Réussir*. Le point de départ, c'est un verbe italien, *Uscire*, qui veut dire « trouver la sortie ». Plus tard, la langue française l'a accueilli en l'habillant à sa manière. *Réussir*. Et le sens a changé, peu à peu, au fil des siècles. À quoi vous fait penser *Réussir* ?

– À beaucoup d'argent.

– Avec un gros cigare.

– Une belle femme blonde.

– Oui, très belle.

– Et même vulgaire !

– Avec de gros seins faux.

– Je vois une énorme maison, protégée par des murs et des caméras pour éviter les voleurs.

Le Capitan s'amusait.

– Vous voyez comme c'est drôle : au début, *Réussir*, c'était trouver la sortie. Aujourd'hui, c'est se protéger pour que personne n'entre !

Quand il riait, ses rides s'effaçaient, il rajeunissait, lui aussi remontait dans le temps, vers l'origine des mots.

Bref, nous avions oublié Nécrole.

Mais un matin…

Ce matin-là, lorsqu'elle entra dans la classe, le visage de notre maîtresse nous effraya. Les paupières bouffies, de qui a beaucoup pleuré. La peau grise, de qui a trop peu dormi. Un pull jaune canari sur une jupe rouge framboise, des habits dépareillés, typiques de qui s'est habillé au dernier moment, n'importe comment, peut-être même dans le noir, on connaît les filles, petit coup d'œil au miroir : « Je suis à faire peur aujourd'hui, j'éteins la lumière. »

Pauvre Mlle Laurencin ! Elle si belle, qui avait bien pu la détruire à ce point ? Un amoureux assez bête, et cruel, pour ne pas respecter un tel trésor ? Qu'on nous donne vite son nom et son adresse ! Il allait passer un mauvais quart d'heure ! Nous avons beau ne pas être bien vieux, nous avons déjà deux costauds dans la classe, Gaël et Terry.

Nous sommes vingt-trois, y compris Hippolyte, l'éternel absent dans sa tête. Quarante-six yeux suivirent notre enseignante lorsqu'à pas hésitants elle gagna son bureau. Quarante-six sourcils furieusement froncés. Quarante-six petits poings serrés. Plutôt que de s'asseoir, elle se laissa tomber sur sa chaise. Et elle nous regarda, l'un après l'autre, les vingt-trois, en prenant tout son temps, elle d'habitude si pressée, toujours courant après ce satané programme, notre ennemi, celui qu'il fallait achever avant mi-juin (comme on dit « achever un blessé d'une balle dans la tête »).

– Mes pauvres enfants !

C'est depuis cet instant précisément que j'ai une âme. Ou plutôt que je sais en avoir une. Car le soupir de Mlle Laurencin me tordit quelque chose au creux de la poitrine. Si vous avez un autre mot pour appeler cet endroit-là, prévenez-moi, moi je n'ai qu'*Âme* en magasin.

Je crois bien que dans ce silence accablé, c'est ma voix qui retentit.

– Que se passe-t-il ?

Mine de rien, j'étais responsable, élue chef de classe contre cet imbécile et prétentieux de Gaëtan, après une campagne électorale féroce.

Laurencin ne répondit pas tout de suite. De grosses taches rouges lui étaient venues sur les joues. C'est la faiblesse des blondes. Elles ne manquent pas d'intelligence, contrairement à ce que dit la légende. Elles sont seulement incapables de rien cacher. On peut lire sur leur peau comme dans un livre. On devrait les interdire à toutes les tables de poker. Elles s'y feront toujours plumer !

De nouveau, elle nous regarda.

Et ce qu'elle vit lui redonna de la force, je le dis avec certitude et sans modestie. À certains moments, les élèves donnent autant au professeur qu'ils en reçoivent. Et ensemble, ils peuvent mener de belles batailles comme je vais vous le prouver.

Elle inspira fort.

– La liste officielle est arrivée.

– Quelle liste, maîtresse, avec tout notre respect ?

– La liste officielle des mots autorisés. La voici. Je l'ai photocopiée pour chacun de vous.

Et elle commença la distribution.

En bonne enseignante, Laurencin, malgré sa colère, ne manqua pas cette occasion de nous faire la leçon.

– Que remarquez-vous dans cette liste ?

– Il n'y a que douze mots.

– Pourquoi douze, d'ailleurs ?

– Douze comme les saisons !

– Douze comme les apôtres !

– Douze comme les chiffres de l'horloge !

– Mais encore ?

Apolline leva la main.

– Il n'y a que des verbes.

– Enfin ! dit Laurencin. Heureusement que tu es là ! Et pourquoi Nécrole n'a-t-il choisi que des verbes, d'après vous ?

26

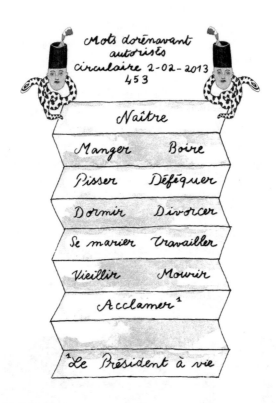

Mots dorénavant
autorisés
circulaire 2-02-2013
453

Naître

Manger   Boire

Pisser   Déféquer

Dormir   Divorcer

Se marier   Travailler

Vieillir   Mourir

Acclamer[1]

[1] Le Président à vie

N. B. :

1) Exemples de mots inutiles, donc interdits : la *Nuit*, le *Jour* (on n'a qu'à jeter un coup d'œil dehors pour savoir).

2) Tout emploi d'un mot extérieur à la liste, donc d'un mot inutile, sera considéré comme gaspillage de deux Ressources publiques (le Temps et l'Énergie) et par suite passible d'une amende : 15 dollars de l'archipel à la première faute, 50 si récidive.

3) Cette loi entrera en vigueur le premier jour du printemps.

– Rien que pour nous embêter !

– Parce que la conjugaison, c'est trop difficile !

Malgré nos efforts, impossible, ce matin-là, de dérider Laurencin.

Elle hurla presque :

– Soyez sérieux ! Pourquoi des verbes ?

Désolée pour le manque de modestie, mais c'est moi qui répondis.

– Les verbes sont les moteurs de la phrase, tu nous l'as souvent répété. Nécrole veut nous mettre au travail. Donc il n'a retenu que les mots qui décrivent des actions.

Un grand silence suivit. Nous ne pouvions détacher nos yeux de cette feuille devant nous. On aurait dit que les douze mots nous narguaient.

« Ah ah, les petits loups ! Jusque-là, vous ne nous aimiez pas trop, nous, les verbes ! Vous allez devoir vous habituer ! »

Johann, notre footballeur, leva la main.

– Mademoiselle, c'est vraiment grave d'avoir moins de mots ?

D'autres prirent le relais. Je ne me souviens plus qui.

– Douze, c'est déjà pas mal !

– Trop de mots, ça embrouille.

– Ça disperse.

– Un arbre est un arbre.

– Déjeuner et dîner, c'est pareil : c'est manger.

– Pardon, maîtresse, mais si Nécrole avait raison ?

Laurencin ne répondit pas tout de suite. Elle laissa passer l'orage. C'était l'une de ses tactiques : se taire et sourire. Le calme revenait de lui-même dans la classe.

Et sans transition, elle enchaîna sur les mathématiques.

– Changeons de matière. Il n'y a pas que les mots sur Terre. Que diriez-vous de réviser nos divisions ? Toi, l'élève, au tableau.

Julien, celui qu'elle avait désigné, la regarda éberlué.

– Mais, maîtresse, tu as oublié mon prénom ?

Laurencin continua.

– Tu ne veux pas ? Très bien. Alors la fille, oui, juste derrière toi.

C'était Rachida, notre vedette, déjà célèbre dans toute l'école en attendant Hollywood. Elle se dressa, furieuse.

– Oh là, mademoiselle ! Un souci dans la tête ? J'appelle l'infirmière ? Tout le monde sait comment je m'appelle !

Pour une fois, Laurencin n'eut pas le triomphe modeste.

– Ah, ah ! Vous n'aimez pas qu'on vous retire vos prénoms ! Vous vous sentez tout nus ? Vous pourriez être n'importe qui ? Eh bien, les arbres, c'est pareil, et tous les objets de la vie. Ils veulent un mot qui les désigne chacun, qui les distingue. Vous savez ce que c'est, quelqu'un de distingué ?

– C'est un élégant.

– Un différent des autres.

– En mieux.

Elle leva la main.

– Stop ! Vous avez tout compris. Pas besoin de continuer.

Elle regarda sa montre.

– D'ailleurs, il est déjà tard. À demain. Préparez-vous. La guerre.

– Demain sera mardi ! Il faut donner aussi leurs noms aux jours.

– Tu as raison, Julien.

– Pour une fois que j'attends un mardi avec impatience…

– D'ailleurs, savez-vous que vos prénoms sont des mots qui ont un sens ?

C'était son habitude, infiniment agaçante : en fin de journée, Laurencin lançait une devinette. Agaçante mais efficace : nous attendions avec impatience le lendemain pour avoir la solution de l'énigme.

Les bons enseignants racontent. C'est en racontant qu'ils apprennent. Et pour raconter, il faut maintenir le suspense.

Malgré nos supplications, elle ne nous livra qu'un exemple.

— Philippe !

— Oui, mademoiselle ?

Le visage dudit Philippe a viré coquelicot et je suis sûre que ses paumes se sont mises à dégouliner de sueur. C'est notre timide. Oh, comme je le plains, c'est la pire des maladies. Ah, s'il pouvait donner un peu de sa modestie à Rachida !

— Comment viens-tu à l'école ?

— Mais… sur mon vélo.

— Tu as oublié ton cheval ?

— Maîtresse… mais… je n'ai pas de cheval.

Elle eut pitié de lui.

— Le prénom « Philippe » est composé de deux parties grecques. Première partie : *phil*, qui veut dire « qui aime », comme dans *Philosophe*, « celui qui aime la sagesse » ou dans *Philanthropie*, « le fait d'aimer les hommes ». Seconde partie : *hippo*, qui veut dire « cheval », comme dans *Hippodrome*. Philippe est donc « celui qui aime le cheval ». Je serais toi, j'en demanderais un pour mon anniversaire. À demain !

— Oui, à demain, maîtresse !

— Vivement demain !

III

Où l'on frôle l'émeute

Il ne faut pas croire que les mots interdits se sont laissé faire. Dès le lendemain, ils se rassemblaient sur la place de l'Indépendance pour crier leur colère.

Ils étaient arrivés par groupes, réunis derrière des pancartes :

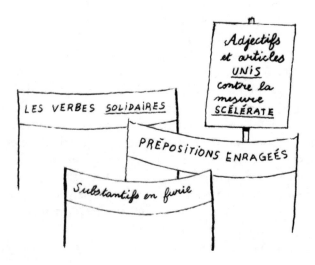

Très vite, ces séparations éclatèrent. Il n'y eut plus qu'un seul grand fleuve de mots en marche vers le palais présidentiel.

Et qui menait la manifestation ?

Je vous le donne en mille : *Acclamer*. Le plus autorisé des mots autorisés.

Quelle claque pour notre Nécrole !

Déjà, il avait ordonné à sa garde personnelle de prendre position. Une triple ligne de soldats, appuyés sur les petits chars à tourelle ultrarapide.

Nous avons craint le pire.

Jusqu'alors, nous, les humains, n'étions pas intervenus. Nous ne voulions pas voler la vedette, comme nous le faisons si souvent.

C'était la révolte des mots !

Mais maintenant, fini ce genre de politesse. Il fallait protéger nos amis.

Nous nous sommes précipités.

Avant d'éclater en sanglots.

Pour repousser les assaillants, Nécrole avait choisi la bonne méthode : les gaz lacrymogènes (« qui engendrent des larmes »).

Ce jour-là, avec un grand filet, il aurait pu capturer tous les mots : ils étaient tous réunis. Et pleuraient.

Heureusement, l'idée ne lui est pas venue. Il a paré au plus pressé. Les mots peuvent faire peur quand ils se rassemblent.

Une demi-heure plus tard, la ville avait recouvré son calme. On n'entendait plus que des toussotements et des raclements de gorges… Sans doute des mots qui peinaient à retrouver leur respiration.

IV

Où la guerre est déclarée
et le pays à défendre
un peu mieux précisé

Notre maîtresse n'est pas une personne irresponsable.

Elle ne nous a pas lancés sans réfléchir dans la bataille.

Elle a demandé l'accord de chacun, même si Rachida, la pinailleuse perpétuelle, lui a expliqué que notre avis ne valait rien puisque nous étions mineurs.

Sans l'écouter, nous avons écrit nos réponses sur des carrés de papier déposés ensuite dans le bocal de feu le poisson rouge (décédé d'indigestion).

Pour nous protéger durant le dépouillement, nous avons demandé à Johann de guetter par la vitre qui donne sur le couloir. C'est le plus grand d'entre nous : déjà 1,71 mètre, à onze ans. Il n'aurait pas fallu que le directeur se pointe !

Résultats : 23 votants.

21 « oui à la guerre ».

1 « je ne sais pas ».

1 « non, car on doit toujours faire confiance à un Président à vie ! ».

Bien sûr, Laurencin, qui a la mémoire de tout et notamment des écritures, connaissait l'auteur de cette longue phrase compliquée. Mais elle a gardé ce secret pour elle.

Nous avons applaudi la victoire écrasante des « oui ». Mais du bout des doigts, pour ne donner l'éveil à personne.

– À partir de maintenant, nous devenons sub-reptices, a commenté Apolline, notre meilleure élève parce que sa mère est inspectrice des impôts.

Personne ne comprenait.

– « Clandestins » serait plus juste, a dit Laurencin.

Apolline s'est obstinée.

– Moi je préfère *Subreptice*, qui vient du latin *repere*, « ramper », et *sub*, « en dessous ».

Et nous avons commencé notre formation accélérée.

Comme vous allez pouvoir le constater, Laurencin a un cerveau logique.

– On ne défend pas son pays si on n'aime pas son pays. Et on n'aime pas son pays si on ne le connaît pas. Connaissez-vous le pays des mots ?

– Moi, pas mal, dit Rachida la prétentieuse.

Mais tous les autres, y compris moi, avouèrent leur ignorance.

– On ne savait même pas que c'était un pays, alors tu vois…

– Très bien. J'ai besoin d'une semaine pour vous apprendre le minimum à ce sujet.

– Mais la guerre, mademoiselle ?

– Le piège, c'est la précipitation. Je passe mes nuits à lire des traités de stratégie militaire…

Nous fûmes quelques-uns à sourire. L'image de la douce Laurencin en Jules César ou Napoléon ne manquait pas de sel.

– … Il vaut mieux se préparer soigneusement et livrer toutes ses forces le moment venu et au bon endroit. Qu'est-ce qu'un mot ?

– C'est un son ou un groupe de sons.

– Bravo, Julien, on reconnaît le musicien ! Le plus étrange, c'est que le mot *Mot*, si je puis dire, vient du latin *muttum* dont on a surtout tiré *Mutisme*, l'« absence de parole ». Drôle de destin pour le mot *Mot*, qui sert à parler. Mais que peut-on dire de plus ? Allez, réveillez-vous ! Qu'est-ce qu'un mot ?

– C'est une fenêtre.

– N'importe quoi !

– Tais-toi, Johann, laisse parler Apolline.

– Un mot, c'est précis. Ça désigne une chose parmi toutes les autres choses. Comme une fenêtre découpe : elle ne montre qu'un morceau du jardin.

– Bravo ! dit Laurencin. J'attends les autres. Vous êtes devenus bêtes, ou quoi ?

Nous nous sommes regardés. C'était l'une de ses autres méthodes : nous mettre au défi. Nous avons réagi.

– Un mot, c'est comme un nom ou un prénom. Il permet de savoir de quoi on parle : un cheval n'est pas une vache.

– Les mots sont des armes.

– Ou des déclarations d'amour.

– Des outils pour comprendre.

– Ou pour faire.

– Ou pour refuser de faire.

On ne pouvait plus nous arrêter.

– Les mots sont comme des timbres, des petits tableaux, des résumés.

– Peut-être qu'ils sont nos meilleurs amis !

– En tout cas, ils nous permettent de choisir nos plats au restaurant. Sans eux, on prendrait toujours la même chose.

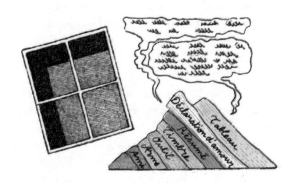

– Ils me tiennent bien mieux compagnie que mon hamster.

– On peut les chevaucher, se laisser emporter par eux, je vais les préférer à mon poney.

Chacun rebondissait sur l'idée des autres. Et peu à peu, nous nous rendions compte de l'utilité des mots. Quels amis irremplaçables ! Nous sommes des enfants gâtés. Nous nous servons de choses ou de gens sans réaliser à quel point ils se mettent en quatre pour nous rendre service.

C'est alors que Rachida s'évanouit, s'étala sur le sol de toute sa petite taille. Vous commencez à connaître cette fille, elle a mille tours dans son sac pour se faire remarquer.

– Mon Dieu ! cria Mlle Laurencin.

– Écartez-vous, elle a besoin d'air !

– Ouvrez la fenêtre !

– Je vais chercher l'infirmière ? hurla notre fayote de Marie-Thérèse.

Lorsque du coin de l'œil elle nous vit tous et toutes recentrés sur le centre du monde (sa personne), Rachida ressuscita, se releva, se rassit et d'une voix décidée déclara :

– Où en étions-nous ? Ah oui, l'importance des mots. Mademoiselle notre maîtresse aurait-elle l'obligeance de nous dire où elle veut en venir ? La guerre commence quand ?

À notre fureur, Laurencin passait tout à Rachida, son insolence et ses fantaisies. Comme si l'intelligence et la drôlerie (hélas les deux incontestables) lui donnaient l'autorisation de faire n'importe quoi.

Laurencin fronça les sourcils pour se donner l'air sévère (sans succès), tapa de la main sur son bureau : « Allons, allons, le cours continue ! »

– Dans beaucoup de pays, à beaucoup d'époques, des autorités, des religieux, des politiques se sont méfiés des livres. Alors ils les ont brûlés. Ce que nous sommes en train de vivre est pire.

– Que veux-tu dire ?

– Si nous perdons nos mots, plus besoin d'incendier les livres, personne ne pourra plus rien raconter. Et sans raconter, comment voulez-vous comprendre ?

– C'est peut-être ce que veut Nécrole.

– Peut-être.

Je me retournai. Jamais je n'avais vu la classe si sérieuse. Même Rachida avait interrompu son ricanement perpétuel.

– Alors, maîtresse, c'est grave ?

Elle hocha la tête, deux fois, lentement. Des larmes lui coulaient sur la joue.

Nous, les élèves de l'archipel, ne sommes pas du genre à nous laisser faire sans réagir.

– On va se battre !

– Les destructeurs de mots vont trouver à qui parler.

– Pour nous, la guerre est déclarée !

Laurencin nous regardait attendrie, nous ses vaillants petits combattants. La sonnerie de 16 heures n'a pas interrompu nos préparatifs.

– Moi, je commence la gymnastique.

– Et pourquoi donc ?

– Justement, pour être fort. Un soldat doit être fort.

– Tu as raison. Je m'y mets aussi.

– Tu crois qu'une fille peut faire de la boxe ?

– Je serais toi, j'irais plutôt vers le karaté.

– Bonne idée !

– À demain !

– À demain !

V

Où l'on reçoit un renfort magnifique

Sur la corniche, nous avons croisé Monsieur Henri, notre chanteur national.

D'ordinaire si souriant, il n'était que colère.

– Vous avez entendu Nécrole ? Trop de mots ! Ça me rappelle ceux qui disent : trop de notes ! Pour ne pas dire trop de musique. Trop de liberté. Trop de bonheur de vivre ! À combien de mots avons-nous droit ?

– Douze !

– Ridicule ! Quelle horreur ! Nous aussi nous nous sommes battus contre la musique toute faite. La musique pour supermarchés. La musique pour faire acheter n'importe quoi, après avoir endormi l'intelligence.

– Et le résultat du combat ?

– Défaite à plates coutures pour l'intérieur des magasins où triomphe le sirop ! Je me demande comment les oreilles des gens supportent. Mais victoire, oh oui, victoire partout ailleurs. Les mots survivront. Ils sont dans l'air. Personne ne pourra les attraper. D'ailleurs, je les accueille dans ma musique.

Il saisit sa guitare, posa ses doigts sur les cordes.

– Elle vous plaît, cette mélodie ?

La réponse ne se fit pas attendre. Cinq minutes plus tard, quelques dizaines de mots s'étaient posés sur ses notes comme des hirondelles sur un fil électrique.

Quand je monte, je monte, je monte,
  je monte chez toi
J'ai le cœur qui saute, qui saute,
  qui saute de joie.

Monsieur Henri rayonnait.

– Qu'est-ce que je vous disais ? Allez capturer les mots, maintenant. Bien malin celui qui les mettra en cage !

Et il s'en alla vers la plage, suivi de toujours plus de mots voulant partager sa joie de vivre.

VI

Où l'on s'invente les uns les autres

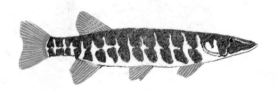

Toute la semaine, Laurencin continua ses leçons. Inutile de dire que nous avions complètement oublié le fameux « programme ». Il gisait là, tout seul, comme un vieux chien, au bas du placard. Mais en échange (échange gagnant), nous découvrions le pays des mots avec chaque jour plus d'émerveillement, chaque jour plus d'amusement.

– Aujourd'hui, nous allons explorer une drôle de forêt : qui connaît les arbres généalogiques ?

Rachida leva le doigt la première, comme d'habitude.

– Ce sont des arbres tout droits !

– Pourquoi dis-tu cela ?

– Parce que d'après leur nom ils sont très logiques !

Un éclat de rire général accueillit cette invention.

– Oh, la folle !

– Oh, la n'importe quoi !

Mlle Laurencin reprit difficilement la main.

– Quelqu'un a-t-il une autre idée plus intelligente ?

– C'est un arbre, dit Erik, qui ne perd pas ses feuilles en hiver, comme le sapin mais en plus grand.

– D'une certaine manière, tu as raison.

Maintenant, les réponses fusaient.

– C'est un faux arbre !

– Un arbre spécial, qu'on ne trouve pas dans la forêt !

– Un arbre où vivent les singes !

– Un arbre que personne ne peut couper, même avec la scie la plus dure !

Chacun avait sa définition. Mlle Laurencin s'amusait. Quel bonheur de la retrouver joyeuse ! Elle battait des mains.

– Merci, vous méritez le prix de la classe la plus imaginative ! À présent, il faut avancer. L'arbre généalogique est un arbre de papier. Il raconte l'histoire d'une famille. À la base, il y a le tronc, le point de départ, les deux ancêtres. C'est de là que partent toutes les branches, je veux dire tous les enfants, petits-enfants, et arrière…

Tout en parlant, elle dessinait au tableau.

De furieuse humeur d'avoir été humiliée, Rachida grondait.

– On va où, là ? Quel rapport avec les mots ? Ils ont des familles ? Comme nous ? Ça se saurait ! Et on dit que c'est moi la n'importe quoi !

Un long poisson à l'air méchant était apparu sous la craie de Laurencin. Nous l'avons tout de suite reconnu.

– Un *Brochet* !

– L'ancêtre de la famille est un mot latin : *brochus*, qui veut dire « quelqu'un aux dents pointues et qui avancent ». De *brochus* descend *Brochet*, et *Broc*, parce que c'est un vase long avec un bout pointu. Et *Brocard*, parce que c'est le petit du cerf lorsque ses bois ne sont encore que des pointes. Et *Brocarder*, « lancer des paroles piquantes à quelqu'un, s'amuser de lui, le critiquer ».

Nous avons continué le jeu des arbres et des familles.

Oh, l'immense descendance du verbe *Faire* (latin : *facere*) : *Vérifier*, *Sacrifier*, *Putréfaction*, *Confiture*, *Confetti*, *Profiterole*, *Infect*, *Déficit*, *Réfectoire*, *Perfection*, *Préfet*, *Facteur*, *Facile*, *Imparfait*, *Malfaiteur*...

Et *Offrir*, qui a deux parents latins : *offere* (« présenter, montrer ») et *ferre* (« porter »). Ensemble, ils ont enfanté *Différer*, *Préférer*, *Proférer*, *Différence*, *Circonférence*, *Souffrance*, *Offre*, *Mammifère* (« qui porte des mamelles »), *Prolifère*...

Au milieu de l'après-midi, notre porte s'est ouverte, lentement.

– Brochet ! s'est écriée la classe.

Et c'était vrai : notre directeur ressemble au poisson.

Plusieurs fois, par la vitre qui donne sur le couloir, il m'avait semblé voir se promener sa tête pointue. Il avait notre classe à l'œil, pas de doute.

D'une voix doucereuse, il a félicité notre maîtresse.

– Quel bonheur d'entendre ces rires de la jeunesse ! Bravo, mademoiselle, d'entretenir un tel climat joyeux ! Je vous rappelle simplement, et à vous aussi mes chers enfants, que vous avez un programme à respecter. Et rappelez-vous, au cas où vous l'auriez oubliée, la venue, bientôt, de l'inspecteur. On verra ce qu'il dira de tout cela.

Heureusement que le Brochet referma vite la porte. Sans quoi il aurait reçu une grêle de gommes, taille-crayons, boulettes de papier et même un compas qui se ficha dans le mur, juste en dessous du tableau des conjugaisons.

Un instant, Mlle Laurencin hésita entre la colère et l'éclat de rire. Elle décida de ne pas choisir.

Johann leva la main, lui qui jusque-là n'avait jamais pensé qu'au football.

– Oh, mademoiselle, il reste encore vingt minutes avant la sortie. On ne pourrait pas explorer un autre mot ?

La satisfaction de Laurencin faisait plaisir à voir. On aurait dû la prendre en photo à ce moment-là pour montrer aux profs débutants que l'enseignement n'est pas toujours un cauchemar.

– Prenez *Abasourdir*, j'adore ce mot. Aujourd'hui, nous sommes abasourdis quand une nouvelle, un événement nous étourdit, tellement notre surprise est vive. Autrefois, le sens était encore plus fort. Car *Abasourdir* vient d'un verbe d'argot utilisé par les bandits au XVIIe siècle : *Bassourdir*. Ça voulait dire « tuer ». Exemple : « Es-tu bien certain de l'avoir bassourdi ? » Mais *Abasourdir* a intégré aussi le son, à partir du verbe *Assourdir* : j'ai été frappé par un si grand bruit qu'il m'a rendu sourd. Vous voyez, les mots sont comme nous : ils ont toutes sortes d'ancêtres.

VII

Où l'on assiste
à un duel de langues mortes

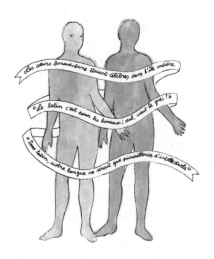

Le Brochet nous attendait dans la cour.

– Où allez-vous ?

– Journée spéciale du maire, répondit Laurencin.
J'ai déposé la demande il y a deux mois.

– Exact. J'ai la photocopie. Mais vous avez indi-
qué : « stage de natation ». Alors que tous vos élèves

nagent déjà comme des poissons… Vous me cachez quelque chose.

Il en fallait plus pour nous arrêter. D'un pas décidé, quasi militaire, et l'air farouche, nous continuions de marcher vers la grille. Le Brochet nous courait après.

– Méfiez-vous, Laurencin ! La Présidence vous tient à l'œil.

– Ah, bravo ! Maintenant, vous m'avez dénoncée ! Il ne nia pas.

– Est-ce ma faute si vous filez un mauvais coton ? Dix fois, je vous ai avertie.

*
* *

Les sœurs Bonaventure étaient célèbres dans l'île entière pour au moins deux raisons.

D'abord : leur ressemblance, vertigineuse. Quoique nées l'une après l'autre, 1924 et 1925, elles avaient été toute leur vie jumelles parfaites : mêmes visages dans leur jeunesse, et toujours les mêmes quatre-vingts ans plus tard ; mêmes maris marins-pêcheurs, mêmement infidèles pour le même type de femmes (touristes blondes), morts de la même manière accidentelle à deux mois d'intervalle (chute du bateau, d'où de l'eau dans les bottes, ce qui ne pardonne pas quand on a beaucoup d'alcool dans l'estomac), même vieillesse des deux veuves côte à côte dans deux petites maisons identiques face à leur ennemie commune : la mer.

Seconde raison de leur gloire : leurs disputes, continuelles et violentes. Ou plutôt une seule altercation qui n'avait cessé depuis leur naissance et, selon toute probabilité, ne prendrait pas fin à leur mort : de cercueil à cercueil, elles continueraient de s'invectiver. « Mauvaise herbe, Colette ! – Imbécile à manger du foin, Marguerite ! »

On aurait pu penser que leur métier, et la dignité qu'il requiert, les aurait calmées. Que nenni ! Durant leurs trente-cinq années de service en tant qu'institutrices à l'école Simon-Bolivar, rien n'y avait fait, ni les remontrances des directeurs successifs, ni les retenues sur salaire, ni les mises à pied ou menaces de radiation. Elles ne pouvaient s'empêcher de sortir à tout moment de leurs classes pour aller s'injurier l'une l'autre. « Sournoise, Colette ! – Pue du bec, Marguerite ! »

Ce très gênant défaut excepté, elles avaient été d'excellentes enseignantes, avec de formidables résultats à tous les examens possibles – passage en sixième, brevet, baccalauréat…

– Maîtresse, tu es sûre que c'est bien utile de rendre visite à ces folles ?

– Personne sur l'île ne connaît comme elles les racines, grecques et latines. Et puisque nous n'avons plus de dictionnaires… En plus, elles ne sont plus jeunes. Il faut se hâter avec les vieux : soit ils meurent, soit ils perdent la tête et oublient.

Pour un peu, nous serions passés sans les voir, tant elles étaient petites, tassées sur leur banc avec leurs robes de la même teinte grise que les pierres. Heureusement que leurs voix glapissantes les désignaient.

Elles tricotaient et, comme de bien entendu, s'insultaient : « Fourbe, Marguerite ! – Branquignolle, Colette !… »

En tout cas, la méchanceté les avait gardées jeunes. Elles reconnurent tout de suite Laurencin qui avait été leur élève, et leur déception.

– Ah, si tu avais été moins bêtement gentille…

– Tais-toi donc, débile Colette ! Quelle carrière tu aurais faite…

La situation leur fut expliquée, l'incendie, la liste de Nécrole, la guerre faite aux mots. Elles réagirent comme on pouvait s'y attendre, cannes levées : « On commence quand la bataille ? » Hélas, leur bonne entente ne dura pas. Les engueulades reprirent.

– N'écoutez pas ma sœur, le latin c'est pour les bouseux ; seul vaut le grec.

– Crétine congénitale. Sans latin, notre langue ne serait rien que pinailleries d'intellectuels.

– Quoi ?

Il fallut les séparer.

Et profiter de leur seule différence. L'aînée latiniste (Colette) s'assoupissait le matin (11 heures-midi), tandis que Marguerite l'helléniste siestait l'après-midi.

C'est ainsi, en faisant bien attention aux horaires, que nous avons appris à « jouer avec les racines », comme aimait à dire Laurencin.

Merci, Marguerite !
Nous lui devons tant.
Vous savez d'où vient le mot *Écureuil* ? Du grec *skourios*, « qui se fait de l'ombre avec sa queue ».

Et pourquoi on a choisi le mot *Datte* pour dési-gner ce fruit poisseux à goût de miel ? Parce qu'il res-semble à un doigt (en grec : *daktulos*).

Et pourquoi le *Dromadaire* (je rappelle pour les ignorants : une seule bosse) s'appelle-t-il ainsi ? Parce que les Grecs, toujours eux, le jugeaient très bon cou-reur (*dromas*).

Et pour ne pas faire de jalouse : merci aussi à Colette !

Sans elle, jamais nous n'aurions su d'où viennent *Che-val*, *Équitation*. De deux mots latins, *caballus* et *equus*.

Et *Domicile*. Il a bien sûr pour origine *domus*, mais « maison » se disait aussi *villa* (si elle était grande) et *casa* (si c'était plutôt une cabane)…

– Le grec est bien trop lointain, nous répétait Colette. La plupart des mots viennent directement du latin. Je suis certaine que vous allez en trouver.

– Je ne sais pas, moi. *Gratis. Lavabo.*

– Bravo ! Et encore ?

– *Pollen. Quiproquo.*

– Vous voyez qu'on n'a pas besoin du grec.

Nous lui donnions raison pour qu'elle ne se mette pas en colère. Oh, la galère si Marguerite s'était réveillée et nous avait trouvés en compagnie de sa barbare de sœur.

Mais de cette Marguerite nous avons appris l'importance première du grec.

Et c'est ainsi que nous avons commencé à fabriquer nos premiers mots en « jouant avec les racines ».

Puisque *potame* veut dire « fleuve », et *hippo* « cheval » (comme dans *Philippe*), l'*Hippopotame* est le « cheval du fleuve ». Si je vous dis que *terato* est le « monstre », comment construire le mot qui signifie « monstre du fleuve » ? Allez, cette fois je vous donne la réponse : *Teratopotame*. Maintenant, à vous de jouer.

Drome, c'est l'endroit où se déroulent des courses.

Pithekos, c'est le singe.

Quel est le nom du stade (imaginaire) où l'on organise des courses de singes ?

Merci, Colette, merci, Marguerite !

Oh, comme nous nous sommes amusés avec ces jeux !

Laurencin, tout émue, souriait.

– Alors, vous comprenez ce qu'est notre langue, je dirais plutôt *qui* est notre langue ? Un être vivant, qui vient de très avant dans le passé et qui d'année en année s'enrichit d'innombrables cadeaux venus des autres langues.

Des vocations surgissaient parmi nous comme les champignons après la pluie.

– Plus tard, je serai fabricant de langues.

– Moi archéolangue !

– Pardon ?

– Mais oui. D'*archeo*, qui veut dire « ancien », comme dans *Archéologue*. Et *logue*, qui veut dire « savoir », ce n'est pas moi quand même qui vais te l'apprendre, maîtresse ! Donc l'*Archéolangue*, « celui qui s'occupe des anciennes langues ».

– On pourrait préciser : archéolan*gologue*.

– Ça, c'est trop compliqué !

Le visage de la blonde Laurencin se mouchetait de taches rouges, signe, chez elle, comme vous vous en souvenez, de la plus grande émotion.

Elle balbutiait.

– Oh, mes enfants, comme vous me donnez du bonheur, oh, mes enfants.

Elle pleurait presque.

C'est à ce moment-là que moi, Jeanne, j'ai vu mon avenir. Bien sûr, il y a des jours difficiles, et des

Rachida, des Denis, des élèves trop intelligents ou trop bêtes, des insupportables. Mais quel plus beau métier que celui d'enseignant ?

VIII

Où l'on découvre une carte
de géographie très troublante

La semaine suivante, Laurencin annonça qu'elle se proposait d'emmener les volontaires au Palais de Justice.

D'abord, tout le monde voulut venir.

– J'adore voir les gens jugés.

– Surtout les condamnations à mort.

Laurencin doucha les enthousiasmes.

– Peut-être un jour, nous aussi nous retrouverons-nous là-bas et punis pour avoir défendu les mots. Mais cette fois, il s'agira d'amour.

– Quel ennui !

– Sans moi !

Tous les garçons se défilèrent. Sauf Philippe, le timide maladif.

*
* *

– Vous allez voir, nous dit Laurencin en chemin, les défenseurs des mots ne sont pas tous des soldats, je vais vous en présenter qui ont choisi la douceur pour se battre.

– Et ça marche ?

– Apprends, Jeanne, que peu de gens résistent à la vraie gentillesse. Tu sais comment le dictionnaire définit la douceur ? « Une jouissance calme et délicate. » Tu résisterais, toi, à une jouissance calme et délicate ?

À l'entrée des cimetières, j'ai remarqué, s'installent toujours des cafés et des bars pour remonter le moral des survivants. De même devant le Palais de Justice, cet énorme gâteau de pierres blanches où nous punissons les méchants, deux établissements se livraient à une concurrence farouche.

Le premier était célèbre, répertorié dans tous les guides touristiques. On venait de la région entière, et aussi de l'étranger, pour photographier sa façade peinte de couleurs vives, jaune, vert, rouge, agrémentée d'hommes et de femmes qui dansaient autour de ce nom, audacieux pour les uns, scandaleux pour les autres : Au Divorce Joyeux.

C'était là où, avant de passer devant le juge, se retrouvaient les avocats et leurs clients, des couples en pleine déchirure. On y avait assisté à des batailles légendaires, comme la fois où une toute petite vieille dame avait planté sa fourchette dans le cou de son futur ex-mari avant d'expliquer tranquillement aux policiers :

– J'en avais envie depuis trente-sept ans ! Il a une tête de faux jeton, non ?

Maintenant un calme plutôt triste régnait sur le Divorce Joyeux car le patron avait embauché deux costauds (le soir, ils filtraient l'entrée d'une boîte de nuit strictement réservée aux adultes : L'Univers de tous les possibles). Sitôt qu'une voix s'élevait, à la moindre ébauche de coup de poing ou de gifle, les malabars bondissaient et les ex-amoureux, tout penauds, présentaient leurs excuses. Le patron (cinq divorces au compteur, comme il aimait à le répéter) avait eu l'idée d'offrir une coupe de mousseux à tous ceux qui redescendaient du Palais, fraîchement divorcés.

– Bienvenue aux nouveaux célibataires !

Quelqu'un jouait un air d'accordéon, les serveurs chantaient comme pour un anniversaire. Mais l'ambiance n'y était plus, beaucoup regrettaient le temps des batailles, tellement plus amusant !

« Aux Mots d'Amour (La Deuxième Chance) » : avec un nom pareil, le second café ne pouvait qu'entraîner railleries[1] et sarcasmes[2].

Lequel des deux propriétaires avait eu l'idée folle d'un tel café en cet endroit ? Lequel avait lancé ce projet au risque (presque certain) de perdre tout l'argent investi ?

Marinette, la femme ? Marcel, l'homme ? Les deux en même temps, après avoir fait, ensemble, un vœu ? Avaient-ils, eux-mêmes, échappé de peu au divorce ? Les mieux informés les disaient remariés. Remariés avec… eux-mêmes.

Toujours est-il que ce café, d'après la rumeur qui courait à travers l'île, avait des pouvoirs que personne ne comprenait. Il *faisait des miracles*. Comme on le dit de certains médecins supposés sauver des malades condamnés.

---

1. « Moqueries ». Du latin *ragare*, « braire » (N. B. : les ânes braient).
2. « Insultes ». Vient du verbe grec *sarkazein*, « mordre la chair ».

On citait vingt cas, trente cas de couples venus là par hasard avant leur rendez-vous avec le juge, parce que le Divorce Joyeux était bondé. Ils avaient échoué dans leurs fauteuils sans se regarder, le futur ex-mari, la future ex-femme, pleins de haine ou d'indifférence. Et ils étaient repartis une heure plus tard la main dans la main, poursuivis par leurs avocats.

– Mais le magistrat nous attend, que vais-je lui dire ?

– Que nous annulons notre divorce !

– Ah bon ! Et pourquoi donc ?

– Parce que nous nous aimons de nouveau !

– Et qui va me payer ?

– Demandez à vos clients de l'autre café, ceux qui adorent se séparer !

Nous sommes entrées derrière Laurencin, à pas de loup. Aussi intimidées que notre Philippe.

– Vous n'avez pas peur de la magie ?

– Oh non, mademoiselle !

– Parfait. Alors nous allons tenter de comprendre ce qui se passe dans cet endroit.

Sur les tables étaient posées des nappes étranges. On aurait dit des cartes de géographie. Mais quel était le pays dessiné ?

J'ai d'abord vu que trois cours d'eau le traversaient : Inclination, Estime et Reconnaissance.

Drôles de noms pour des rivières.

Et drôle de pays ! Car je venais de découvrir son nom, inscrit en grosses lettres presque effacées : TENDRE.

Pourquoi ici, dans ce café, face à ce triste Palais ?

Au secours, Laurencin ! Nous détestons les devinettes, nous avons besoin de ton aide !

– Il était une fois, commença-t-elle en chuchotant pour ne pas déranger les couples tout autour de nous, il était une fois, il y a bien longtemps, au XVIIe siècle, du temps du roi Louis XIV, des femmes qui voulaient savoir ce qu'est l'amour.

– Moi aussi, je voudrais bien !

– Pour une fois, Rachida, que tu ne sais pas quelque chose !

– Taisez-vous, ou j'arrête ! Ces femmes réfléchirent à leurs vies et donnèrent des indications à un dessinateur. Ainsi naquit le pays imaginaire de Tendre.

– Joli ! Mais pourquoi avoir choisi d'appeler ainsi les rivières ? Que veut dire *Inclination* ?

– C'est un mouvement qui nous porte vers quelqu'un, peut-être vers l'amour. On peut dire aussi « penchant ».

– Et *Estime* ? Et *Reconnaissance* ?

– L'*Estime*, dans ce sens, c'est la bonne opinion qu'on a de quelqu'un, le respect de sa valeur. Et la *Reconnaissance* c'est à la fois la découverte des qualités de quelqu'un et le remerciement pour les bienfaits qui en découlent.

– Et tous ces mots-là sont des mots d'amour ?

– Bien sûr ! Comment voulez-vous aimer quelqu'un vers qui vous n'avez pas envie d'aller, quelqu'un que vous n'admirez pas, quelqu'un que vous n'avez pas le désir de connaître ? Et quand on n'aime pas, on tombe dans le lac d'Indifférence. Vous le voyez ?

Carte

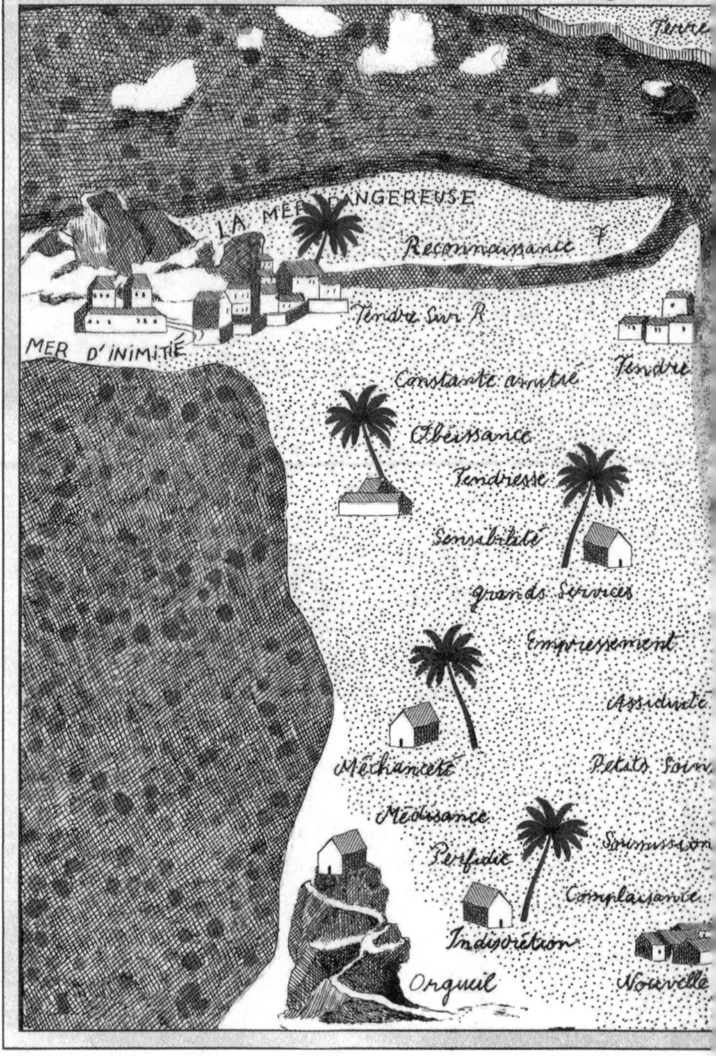

Terre
LA MER DANGEREUSE
Reconnaissance
Tendre sur R
MER D'INIMITIÉ
Tendre
Constante amitié
Obéissance
Tendresse
Sensibilité
grands Services
Empressement
Assiduité
Méchanceté
Petits Soin
Médisance
Perfidie
Soumission
Complaisance
Indiscrétion
Orgueil
Nouvelle

Le pays de Tendre avait tout prévu ! Comme vous l'imaginez, mes petites camarades ne se gênaient pas pour commenter :

– Par exemple, Hippolyte n'a que de l'indifférence pour toi, Rachida, malgré toutes tes danses de séduction !

– Taisez-vous ! chuchotait Laurencin.

– Et la mer. Que vient-elle faire dans la géographie de l'amour ?

– La mer, c'est la passion. La mer, c'est dangereux.

– Et toi, maîtresse, tu as déjà connu des passions dangereuses ?

– Rachida, s'il te plaît !

Pauvre Laurencin ! Voilà que les plaques rouges de nouveau lui envahissaient le visage. Quelle plaie, décidément, ces peaux de blonde. Impossible de dissimuler.

Aux Mots d'Amour (la Deuxième Chance) s'était rempli. Il ne restait plus une seule table de libre. Et les hommes et les femmes, de tous les âges, faisaient comme nous : ils se penchaient sur la carte de Tendre, ils suivaient de l'index le parcours des trois cours d'eau. Et parfois les fronts se frôlaient. Parfois les doigts se touchaient.

J'ai demandé, cette fois à voix toute, toute basse :

– Cette carte est un piège, non ?

– Jeanne, je dirais plutôt « une machine à réconcilier ». Après s'être beaucoup battus, les couples retrouvent le calme.

– Et les mots de l'amour.

– Exactement, Philippe.

— Vous croyez que l'amour existerait sans mots d'amour ?

— Je ne sais pas. Je ne crois pas. D'ailleurs, quand on ne se parle plus, c'est que l'amour est mort.

— Tu as déjà connu ça, maîtresse !

— Enfin, Rachida, vas-tu te taire !

*
* *

Philippe, l'ami supposé des chevaux, sortit différent de notre escapade. Oh, il était encore loin d'avoir vaincu sa timidité invalidante, mais la possibilité d'une certaine confiance en lui se faisait jour.

— J'y mettrai le temps, me confia-t-il.

— Le temps pour quoi ?

— Pour maîtriser les mots d'amour.

— Et alors ?

— Alors, je me vengerai de mes râteaux ! Vous les filles, toutes les filles, tomberez comme des mouches.

Deux semaines après notre visite, des policiers vinrent fermer le café de la Deuxième Chance. Soi-disant parce qu'on y aurait vendu de l'alcool à des mineurs. En fait, les avocats étaient intervenus auprès de Nécrole. Pas question pour eux de perdre même une petite partie de leur source de revenus princi-pale : les divorces.

IX

Où l'on se rappelle
un chef-d'œuvre de la téléréalité

Pendant ce temps-là, que devenaient les douze mots officiels ? Vous vous souvenez ? Les seuls douze verbes que Nécrole nous autorisait. Ils avaient été installés de force dans une des ailes du palais présidentiel, et un samedi, à 20 h 30, en remplacement de notre ridicule émission favorite (*Chante avec les Nuls*), notre télévision nationale montra leur vie de luxe :

Dormir, se prélassant sur un canapé de cuir crème, ébloui par le grand écran plat qui lui faisait face.

Manger, assis à table devant un festin de langouste mayonnaise et d'agneau croustillant.

Se marier, ébloui par la collection de robes blanches et de diadèmes que des couturiers lui présentaient avec force gestes et boniments amphigouriques (je veux dire « obscurs et grotesques »).

Pisser, dans les toilettes les plus luxueuses qu'on ait jamais vues : sol et murs de marbre, robinets du lavabo plaqués or, chaîne de la chasse d'eau en simili-argent, siège du trône en acajou ou en iroko, en tout cas un bois précieux. Et parfum de rose descendant, par bouffées, du plafond, d'après ce que nous disait le commentateur, un ancien politicien aux cheveux gominés reconverti dans le spectacle après avoir remporté un concours de salsa.

Et ainsi de suite.

Même traitement de roi, de reine pour *Naître* (berceau climatisé), *Mourir* (cercueil en forme de Ferrari), *Acclamer* (enregistrements de bravos)…

Ces merveilles ridicules avaient dû coûter bonbon.

Nécrole n'avait lésiné sur rien. À sa manière, vulgaire et violente, il voulait nous dégoûter des autres mots. Les douze devaient suffire et nous garantir une vie de stars, confort et richesses à gogo.

Sauf qu'il avait manqué son affaire.

Pour rien au monde nous n'aurions loupé l'émission. Le samedi, toute l'île se pressa devant ses antiques télévisions, souvent des meubles aussi gros que des buffets et sur lesquels il fallait taper de grands coups, du plat de la paume, pour que l'image accepte de se stabiliser. Et dès le début du programme, nous avons ri, ri comme jamais, jamais nous n'avions ri.

Car ils mouraient d'ennui, les douze, dans leur palais. Ils bâillaient tous à se décrocher la mâchoire.

Comment voulez-vous prendre plaisir à *Manger* quand vous n'avez droit à aucun commentaire, pour parler de votre repas ? On se régale aussi avec les mots, non ? Avec *Radis, Avocat, Vinaigrette, Chair de tourteau, Bœuf mode, Lièvre à la royale, Île flottante, Charlotte aux poires Williams…*

Et l'île riait. Riait tout entière, des vieillards aux nouveau-nés. Riait de la première seconde du pré-générique à l'apparition des trois lettres lumineuses du mot *Fin*.

Si ça vous intéresse, je pourrais vous retrouver l'enregistrement de *Douze Mots du Bonheur*. Renvoyez pour un mois minimum votre professeur de gymnastique.

Tellement vous vous serez esclaffé[1] que vos muscles abdominaux n'auront plus besoin d'exercice.

---

1. D'après mes grimoires, ce joli mot nous viendrait de Provence où *esclafa* voulait dire « éclater » (de rire, de colère ?) et *clafa*, « se taper bruyamment » (se taper bruyamment sur les cuisses, tellement on était joyeux ?).

X

Où l'on voit une vieille volière
reprendre du service

Chaque jour, pour me rendre à l'école, je passais devant l'ancien château du Trafiquant d'oiseaux rares. Je me souviens, il m'avait montré quelques-uns de ses trésors : une perruche verte de l'île Maurice, un puffin des Baléares, un macareux des Sept-Îles, un aigle criard… Depuis qu'il avait fini par être arrêté, au moins cinq ans auparavant, les bâtiments tombaient en ruine. Il s'était vite évadé de notre prison (une passoire) mais on n'avait plus de nouvelles de lui, sans doute réfugié sous d'autres cieux. Le cœur du domaine était une volière géante, tellement grande qu'elle ressemblait à la liberté. C'était là que, du temps de sa splendeur, le Trafiquant avait rassemblé la plus formidable collection de bêtes à plumes, originaires du monde entier.

Pauvre volière, vide maintenant et trouée de toutes parts depuis le départ forcé du maître des lieux. On dit que certains oiseaux étaient demeurés, refusant de profiter pour s'échapper des trous de plus en plus vastes dans le grillage. Ils s'étaient laissés mourir de faim. Les chiens ne sont pas les seuls animaux fidèles.

Et voici qu'à présent des ouvriers réparaient cette immense cage abandonnée. À grand renfort de fil de fer barbelé, ils comblaient les trous, ils remplaçaient les poteaux rouillés, ils arrachaient les herbes qui avaient poussé, et aussi les deux arbres dont la cime avait percé la voûte.

Je m'approchai de celui qui paraissait être le chef du chantier.

– Le Trafiquant revient ?

– Si on te le demande, ma petite demoiselle, tu diras que tu n'en sais rien.

Une illumination me vint.

– Oncle Pablo, tu ne m'as pas reconnue ? Je suis Jeanne, la fille de ton cousin…

– Ah… vous poussez tellement vite, vous les filles, qu'on a du mal à s'y retrouver.

– Alors dis-moi, ça ne sortira pas de la famille, que se passe-t-il ici ?

Il regarda de tous côtés, rapidement, comme un animal apeuré, pour être bien sûr que personne ne nous entendait. Mais les membres de son équipe étaient bien trop occupés. Il me glissa donc entre les dents :

– Opération secrète TDM. Et maintenant, file !

Ce jour-là, j'attendis la fin de la classe, tournant et retournant dans ma tête ces trois lettres. Et allai trouver Laurencin.

– TDM, TDM ?

Elle non plus n'avait pas de réponse à l'énigme.

– Il doit s'agir d'une nouvelle folie de Nécrole. Écoute, il est tard. Je dois y aller. Pensons-y ce soir avant de nous endormir. Souvent, la solution vient pendant le sommeil.

tupi-guarani

Une fois de plus, Laurencin eut raison. C'est dans la nuit que surgit la vérité. Pas de la manière attendue, cependant.

Quand, le lendemain matin, je voulus revenir vers la volière, je fus vite arrêtée. Des policiers en interdisaient l'accès. Mais ils ne pouvaient empêcher qu'on entende le vacarme. Ça secouait violemment les grilles. Et ça sifflait. Et ça criait :

– Libérez-nous !

– Qu'avons-nous fait de mal ?

– Pourquoi nous ?

– Nous habitons l'île depuis si longtemps !

Drôles d'oiseaux parlants.

Et soudain, j'entendis mon prénom :

– Jeanne, je t'ai reconnue. Tu viens si souvent m'acheter.

Je levai la tête. Et j'aperçus le mot *Abricot*. Il avait réussi à grimper le long du poteau central.

– Préviens tout le monde que j'ai été arrêté.

– Et moi aussi, dit le mot *Sucre* qui avait rejoint *Abricot*.

– Et moi, *Algèbre* !

Avant de m'enfuir, chassée par les policiers, une très méchante pensée me vint, j'ai honte de l'avouer : ce dernier mot, je n'allais pas le regretter. J'étais si nulle en maths ! Oui, qu'*Algèbre* aille donc au diable !

– Maîtresse, maîtresse !

– Que se passe-t-il, Jeanne ? Ce n'est pas ton habitude d'arriver en retard !

– Maîtresse, maîtresse !

– Calme-toi.

Et devant la classe tétanisée, je finis par réussir à raconter.

Laurencin hocha la tête.

– Tu confirmes mes informations. Les policiers ont profité de la nuit dernière pour arrêter tous les mots d'origine étrangère.

– Mais c'est idiot. Et impossible. Tu nous l'as expliqué : notre langue s'est nourrie d'innombrables mots venus d'ailleurs.

– Toute langue est un tissu.

– Un patchwork.

– C'est bon, les enfants, vous avez bien compris. Mais maintenant, que fait-on ?

Après discussion, nous décidâmes de sauver d'abord les mots encore libres.

– Moi, dit Camille, je suis prête à en cacher cinq chez moi, dans la cage des hamsters.

– Tu crois qu'ils seront bien ? ricana Rachida. Les mots ne supportent pas les mauvaises odeurs.

– Moi, j'en prends dix, proposa Hippolyte. Mes parents ont une bibliothèque immense. Mais c'est du chiqué. Ils ne lisent jamais. Je les installerai derrière. Ils ne seront pas dérangés…

L'excitation de la classe était à son comble. Nous entrions enfin dans la bataille.

– Et les autres mots, ceux de la volière ? Comment les délivrer ?

– On pourrait demander l'aide des aigles. Quand ils plongent du ciel, bec et serres en avant, moi, j'ai peur, rien ne leur résiste.

– D'accord, mais qui les connaît ?

Honorine leva la main.

Son père, un paresseux mais un malin, avait réussi à dresser quelques rapaces. Ils pêchaient pour lui.

– Le risque c'est qu'ils mangent ceux qu'ils auront sauvés.

– On n'a rien sans rien.
– Allons !
– Allons !

Les policiers ne pénétraient pas dans les maisons. Les ordres n'allaient pas jusque-là. Mais tous les mots étrangers visibles de la rue étaient raflés, par exemple ceux qui étaient peints sur un calicot, sur un panneau de bois ou qui clignotaient sur une enseigne lumineuse : *Bistro* (origine russe), *Cotonnades* (*qutun*, arabe), *Sucreries* (*sukkar*, arabe), *Ananas* (origine tupi-guarani), *Magasin* (*makhzin*, arabe).

– Dis-moi, maîtresse, il y a beaucoup de mots d'origine arabe ou je me trompe ?

– Tu as raison. Jusqu'aux XVe, XVIe siècles, le monde arabe était un lieu de très haute civilisation dans les arts, les sciences, la philosophie, les techniques et l'agriculture. Comme il était notre voisin, puisqu'il occupait l'Espagne, il nous a transmis ses mots.

– Comme maintenant les États-Unis nous imposent les leurs ?

– Exactement.

Il fallait aller plus vite que les commandos de Nécrole. Certains mots refusaient de nous suivre. Ils nous pensaient dérangés, ou pire, pris de boisson, ils engueulaient notre maîtresse : « C'est pas beau, mademoiselle, de ne pas surveiller vos élèves. » Laurencin avait beau leur expliquer la situation, ils ne croyaient pas que quelqu'un puisse être assez fou pour avoir pris une telle mesure.

Mais notre opération fut couronnée d'un réel succès. D'un comptage rapide (le jour se levait), il résulta que nous avions sauvé de la volière pas moins de cent cinquante mots étrangers.

Nous avions aménagé un hangar en dortoir. Et pour le moment, ils s'y reposaient. Comme ils étaient touchants !

Laurencin en chuchotant nous donnait leur nationalité première et nous racontait leurs histoires.

Diesel et *Danser* (allemands), *Hussard* (hongrois), *Tsunami* (japonais), *Avatar*, *Pyjama* (Inde), *Cabaret*, *Ruban* (hollandais), *Patio*, *Créole* (espagnol), *Soja*, *Thé* (chinois), *Concerto*, *Mezzanine* (italien), *Essencerie* pour « station-service » (Sénégal), *Vigiler* (Mali)… et j'en passe, je ne peux tous les citer. *Dorade*, *Garrigue*,

Mascotte (Provence)… Il y avait même un ancêtre, un mot gaulois : *Alouette*. Comme sa mère était bretonne, Laurencin s'intéressait un peu plus aux mots venus de sa région : *Balai*, parce qu'on utilisait beaucoup les branches du genêt, un arbuste qui s'appelle *Balan* ; et *Goéland*, l'oiseau marin dont le chant ressemble à un ricanement. Ou à un gémissement. « Pleurer » se dit *gwelan* en breton. *Baragouiner*, parce que dans les tavernes, les Bretons demandaient du pain, *bara*, et du vin, *gwin*…

XI

Où l'on décevra forcément
ceux qui espéraient gagner
beaucoup d'argent avec les mots

– Maîtresse, maîtresse, quand on invente un mot…

– Oui, Johann ?

– Est-ce qu'on en est propriétaire ?

– Bien sûr que non !

– Ah bon ? Je rêve ! À qui est-il alors ?

– À tout le monde.

– On ne gagne pas d'argent grâce à lui ? Même s'il est très intelligent ou très drôle et qu'il est utilisé chaque jour par des milliers, des millions de gens ?

– Même dans ce cas.

– Alors à quoi ça sert de se casser la tête pour inventer ?

– Ça sert à la fierté.

– Comment ça, la fierté ?

– C'est se sentir plus grand qu'on ne le croyait. Quand tu as marqué un but, tu sens de la chaleur au fond de toi, non, comme un soleil soudain ?

– Attends que je me souvienne du dernier, pas plus tard qu'hier. Un joli but, d'ailleurs, un retourné. Bon ! Qu'est-ce que j'ai ressenti ? Un soleil ? C'est vrai, ça y ressemble. Mais quel rapport avec ce qu'on disait ?

– Quand tu inventes un mot, tu éclaires ce qui était dans le noir. Tu précises ce qui était confus. Tu sépares ce qui était mélangé. Tu fais naître quelque chose qui n'existait pas.

– D'accord, d'accord, c'est beau, je veux bien, sans doute utile mais j'aurais préféré de l'argent.

– Commence par inventer, si tu en es capable. Bon. Nous avons bien travaillé aujourd'hui. Nous avons droit à une récréation !

Nous nous levions déjà et nous bousculions vers la porte.

– Oh là, oh là ! s'exclama Laurencin. Je parlais d'une récréation ici, dans la classe, pas dans la cour !

Comme de bien entendu, nous grondâmes.

– Je vous fais le pari de vous amuser plus que vos jeux.

– Essaie !

– Ensemble, on va fabriquer un mot.

– Quel ennui !

– Tu as déjà perdu ton pari !

Laurencin s'amusait fort de notre déception.

– Donnez-moi cinq minutes. Si j'échoue, je vous libère !

– Accordé !

– Merci. Écoutez bien. On invente des mots parce qu'on en a besoin. Besoin pour désigner des choses, des animaux, des situations. Vous me suivez jusque-là ?

– Parfaitement.

– Supposons qu'on me pose la question suivante : « Quand puis-je aller en récréation ? »

La classe hurla : « Tout de suite ! »

– J'ai compris, mais cela ne me plaît pas : dans votre *tout de suite*, il y a trop de mots, comme dirait Nécrole ! Je veux inventer plus court. Comment vais-je faire ?

Silence.

Bouches plissées.

Langue au chat générale.

Laurencin reprit :

– Tout de suite, immédiatement, ça veut dire que je retiens le temps, je l'empêche de filer.

D'un même mouvement, nous hochâmes la tête.

– D'accord, jusque-là !

– Et comment puis-je retenir le temps ?

Les réponses fusèrent :

– Avec une montre !

– Mais non, voyons ! La montre dit l'heure, elle ne la retient pas.

– Avec un filet ?

– Réfléchis cinq minutes, Gwenaëlle ! Le temps passerait au travers.

– S'il vous plaît, protesta Laurencin, restez polis entre vous.

– Alors un barrage ?

– Tu as déjà vu un mur arrêter des jours ?

– Et pourquoi pas la main, tout simplement, comme quand on prend du sable sur la plage. Le temps, c'est du sable qui coule, non ?

Laurencin s'avança vers celle qui avait parlé. On crut qu'elle allait l'embrasser.

– Bravo, Hélène ! Je résume : je tiens le temps avec la main. Quel temps choisir pour le verbe « tenir » ? Le présent, bien sûr. Donc « tenant », le participe présent. Vous ajoutez « main » et le tour est joué. *Maintenant.*

– Oh, bravo, mademoiselle !

– Tu as gagné ton pari.

– Belle récréation.

– D'ailleurs, voici la sonnerie !

– On n'a pas envie de sortir. On recommence avec un autre mot ?

XII

Où l'on fait connaissance
avec la mine abandonnée,
où l'on découvre l'or véritable

— Après-demain, rendez-vous à 10 heures devant l'école.

— Mais mademoiselle, si je calcule bien, ce sera dimanche.

— Justement. Débrouillez-vous ! Trouvez une excuse.

— Tu veux nous obliger à mentir, c'est ça ?

— Et d'abord, pour aller où ?

— Vous le verrez bien assez tôt.

*
* *

Le dimanche, à l'heure dite, personne, vous m'entendez, aucun, aucune des vingt-trois élèves ne manquait au rendez-vous.

Nous avons marché longtemps par les collines. Vérifiant sans cesse que personne ne nous suivait. Et plongeant sous les chênes verts chaque fois que se faisait entendre le bruit saccadé des pales d'un hélicoptère.

– C'est encore loin ?

Rachida s'épuisait. On peut ne jamais se fatiguer de faire marcher sa langue et n'avoir aucune résistance dans les jambes.

– Dis, maîtresse, maintenant qu'on est loin de tout…

– … et qu'il n'y a personne pour nous écouter…

– Tu ne peux pas nous dire…

– … où nous allons ?

– Et surtout, si nous arrivons bientôt ?

Laurencin tourna sur elle-même. Personne. Alors elle murmura :

– L'ancienne mine d'or.

Cris d'excitation.

– Quelle idée géniale !

– Maîtresse, tu es trop !

– J'avais toujours rêvé d'y aller.

– Moins fort, on va vous entendre !

Bref. Enthousiasme général jusqu'à ce qu'Apolline brise la joie.

– Et la guerre dans tout ça ? Je ne sais pas si vous avez oublié, mais nous sommes en guerre.

– C'est vrai, ça !

– Elle a raison !

– Mademoiselle, qu'est-ce qu'on fait à nous promener, au lieu d'aller nous battre ?

Laurencin prit son temps pour nous répondre, le temps de s'amuser beaucoup.

– Vous savez ce qu'il y a dans la mine ?

– Eh ben rien, puisqu'elle est abandonnée !

– Des coyotes peut-être ?

– Et sûrement des chauves-souris !

De nouveau, elle nous ordonna de baisser la voix. Avant de nous éclairer.

– C'est dans la mine que s'est réfugiée la Fabrique.

– De quoi parles-tu ?

– Vous vous souvenez ? En même temps qu'il n'autorisait plus que douze mots, Nécrole a fermé l'usine.

– Quelle usine ?

– Celle où l'on fabrique les mots.

– Parce qu'il y a des gens dont c'est vraiment le métier ?

– Bien sûr ! Chaque jour, on invente des produits nouveaux. Il faut leur donner un nom. Nécrole a décidé que cette activité ne servait à rien, qu'il suffisait d'adopter les mots anglais.

– Peu à peu, on perdra notre langue.

– C'est ce qu'il veut. C'est plus pratique pour les affaires. Mais les fabricants de mots nouveaux ont résisté. Même sans salaire, même gratuitement, n'est-ce pas, Johann ?, ils ont continué. Et quand la police les a chassés, ils se sont réfugiés dans...

– La mine d'or !

Aucun risque que Nécrole les y retrouve ! Ce n'était plus qu'une cathédrale de rouille, dont le toit, au moindre coup de vent, s'effondrait par plaques.

– Je vous amène des renforts, lança Laurencin en arrivant.

– Bonne nouvelle, les enfants ! Passez d'abord votre brevet puis votre bac et venez vite nous rejoindre, dit un monsieur très élégant, cheveux blancs soigneuse-ment lissés, costume trois pièces crème, cravate verte et chaussures de toile bicolore blanc et rouge.

Une dizaine de complices l'entouraient, le genre plutôt profs, une majorité de lunettes, des barbes pour les hommes et des chignons pour les femmes, avec, pour compléter, un couple de jeunes blonds et bron-zés, je les aurais plutôt imaginés surfeurs (ce qu'ils étaient d'ailleurs, comme je l'apprendrais plus tard : on peut aimer à la fois les mots et les vagues, c'est loin d'être contradictoire).

– Vous entendez ? nous dit l'Élégant.

Dominant les bruits d'eau, les divers ruissellements qui descendaient le long des murs, un tintement de clochette résonnait toutes les deux ou trois secondes. Il semblait venir de l'ordinateur posé sur une chaise de bistro.

– Chaque sonnette nous indique l'arrivée d'un nouveau mot anglais. À nous de trouver son équiva-lent dans notre langue.

– Moi, cet ordi, dit Rachida, je lui mettrais un bâil-lon, c'est trop décourageant.

L'Élégant sourit.

– Il nous empêche de nous endormir.

– Ça, c'est sûr !

Avouons-le : j'étais déçue. Pour fabriquer les mots d'aujourd'hui, j'imaginais de la modernité, des machines, des tapis roulants, des circuits intégrés. Rien de cela. Quelques rayonnages métalliques garnis de dictionnaires réchappés du désastre. Sur une table, une boîte marquée « Préfixes », une autre « Suffixes ». Et par terre, trois caisses pleines de morceaux de mots. De gauche à droite : « Racines grecques », « Racines latines », « Racines d'ailleurs ».

– Nous ne vous dérangerons pas longtemps, dit Laurencin. Mais pouvez-vous nous expliquer votre manière de faire ?

La fabrique des mots

Racines grecques
Racines latines
Racines d'ailleurs

93

– Volontiers, dit l'Élégant. Le principal, c'est de bien comprendre ce que le mot décrit. Par exemple, un *E-mail*, qu'est-ce que c'est ? Un courrier qui n'est pas apporté par la poste mais par les circuits électroniques. Donc un courrier électronique. Et c'est ainsi que nous avons trouvé… *Courriel*.

Nous avons applaudi.

– De même *Carsharing* désigne le fait de partager sa voiture pour économiser les frais d'essence. Que dites-vous de *Covoiturage* ? « Co », c'est un dérivé du latin *cum*, qui veut dire « avec ».

– On dirait un jeu de construction.

– Mais c'est un jeu de construction ! Une construction qui n'arrête pas de se poursuivre. Vous connaissez IBM ?

– La grande société d'informatique ?

– Exactement. Elle avait inventé un super-calculateur qui lui semblait avoir un peu d'avenir : un *Computer*. En 1955, elle a demandé à un spécialiste du latin de lui proposer une traduction française. Il mérite qu'on se souvienne de son nom : Jacques Perret. C'est ainsi qu'un mot est né, que vous utilisez tous les jours. Vous avez deviné ?

– Attendez !

– Ce ne peut être que…

– Ça y est, bien sûr, *Ordinateur* !

– Bravo. Y a-t-il parmi vous des hackers, pardon, je veux dire des pirates du Net, pardon, de la Toile ?

Hippolyte leva le doigt. Je n'aurais jamais cru ça de lui.

– Tu vois le très vieux monsieur, là-bas ? C'est lui qui a inventé le mot *Logiciel*. Avouez que ça sonne mieux à nos oreilles que *Software* !

– Monsieur, monsieur, je peux vous poser une question ?

– Je suis là pour répondre.

– Pourquoi cette invasion de mots seulement anglais ? Vous n'avez jamais d'autres langues à traduire ?

Manifestement, Hippolyte avait appuyé sur une zone douloureuse. L'Élégant grimaça.

Il inspira profondément, comme quelqu'un qui va plonger.

– Il y eut un temps, un temps lointain, les XVIe, XVIIe, XVIIIe siècles, où notre langue était celle qui donnait le plus de mots aux autres langues. Maintenant, c'est l'anglais…

Il haussa les épaules.

– … C'est humiliant. Mais c'est comme ça.

– Et pourquoi cette… dégringolade du français ? Pourquoi ce triomphe de l'anglais ?

– Parce que les pays qui utilisent cette langue, à commencer par les États-Unis d'Amérique, sont les plus puissants en économie mais aussi les plus actifs en sciences. Plus on invente, plus on découvre, plus on a de choses à dire, plus il faut trouver de mots pour les dire.

– Alors la France a plutôt intérêt à se réveiller !

– Tu l'as dit. Autrement, il ne faut pas s'étonner d'être à la remorque.

– Et bientôt vous aurez à adapter beaucoup de mots chinois ?

– Ça commence.

Nos amis fabricants nous ont montré les dernières commandes de l'ordinateur à clochette : *Spamming* (pourquoi pas *Arrosage* ?), *Downsizing* (*Réduction de taille* ? mais c'est trop long), *Job date* (*Embauche minute*), et le plus mystérieux : *Whistleblowing*.

De quoi s'agissait-il ?

L'Élégant nous a expliqué qu'au sens propre cela voulait dire « siffler », « souffler dans un sifflet ». En fait, c'était le fait pour un employé d'une entreprise de révéler les arnaques et entourloupes auxquelles il assistait.

Tout de suite, j'ai proposé *Dénonciation*.

Qu'importe ma modestie ! Je dois à la vérité de dire que des applaudissements ont salué ma trouvaille.

– Mademoiselle, on peut rester ?

– On s'amuse trop !

– Je savais qu'avec les mots on construit des phrases et des histoires. Je ne savais pas que les mots se construisaient eux aussi.

– Comme une voiture.

– Comme une maison !

Laurencin nous a donné une heure supplémentaire.

– Pas une minute de plus ! Autrement, vos parents vont mourir d'inquiétude.

– Ça leur apprendra !

– Ils parlent n'importe comment !

– Ils ne prennent aucun soin de nos mots.

– On va leur donner la honte.

– En écrivant de tellement belles chansons.

– De si beaux livres…

– Ils ont un trésor.

– Mais ne s'en rendent même pas compte !

Et nous nous sommes précipités vers les tables de fer.

L'Élégant nous avait confiés à son adjointe, « une grammairienne d'envergure mondiale », d'après lui. C'était, je me souviens, une longue dame en qui combattaient le sérieux (proclamé par ses cheveux noirs très courts) et la gaieté (que trahissait son regard, perpétuellement amusé).

Elle nous montra une grande caisse qui trônait entre les tables et les chaises. Elle nous expliqua qu'elle était pleine de mots, mais de mots les plus simples. À partir d'eux, elle allait nous montrer la manière d'en construire d'autres.

– Qui commence ? Toi ? Quel est ton prénom ? Jeanne ? Parfait ! Allez, n'aie pas peur !

J'ai plongé la main. Puis déplacé lentement les doigts. Du creux de ma paume, un petit mot me regardait tout intimidé : *Bras*.

– Bravo, m'a dit la grammairienne d'envergure mondiale. Bonne pioche ! Maintenant, un préfixe.

– Un quoi ?

– Préfixe. C'est un petit élément qu'on colle à l'avant du mot simple pour le compléter. Regarde.

Sur une table s'étalaient des groupes de lettres qui semblaient un peu perdues toutes seules, orphelines : *anti, archi, hyper, néo, poly…*

– Si tu essayais celui-là ?

Elle me montrait *em*.

Entre le pouce et l'index je le saisis délicatement et le plaçai devant le mot que j'avais tiré de la caisse. *Embras*.

– À quoi ça te fait penser ?

– Embrasser ! criai-je trop vite.

Et bien sûr, je devins tomate, déclenchant gloussements et quolibets.

– Oh, la Jeanne !

– Oh, l'amoureuse !

– C'est qui ? Oh, la cachottière !

La grammairienne n'attendit pas la fin des moqueries.

– On continue ! Au tour des suffixes.

– Encore de nouvelles bêtes ? La langue française est trop compliquée.

– Au contraire ! Tu vas voir comme c'est simple.

Elle prit *embras* et le déposa sur une autre table recouverte d'autres morceaux de mots : *ure*, *esse*, *isme*, *eur*, *ien*, *aire*…

– Alors ? Qu'est-ce que tu attends ? Tu n'as qu'à en choisir un et tu le places derrière *embras*.

J'ai essayé. D'abord sans succès :

embras atrice
embras erie
embras oire

Ça ne voulait rien dire.

Et puis j'ai trouvé mon bonheur : *embras ade*. Il suffisait d'ajouter un *s* et le tour était joué : *embrassade*.

Mes camarades ne me lâchaient pas.

– Cette Jeanne est obsédée !

– Elle ne pense qu'à l'amour !

Mais moi, je ne les écoutais pas. J'étais toute à mon bonheur. Oui, les mots se fabriquent, peu à peu, par étapes.

Des *bras*.

Dans ces bras : *embrasser*.

Et l'action de deux personnes qui s'embrassent : *em* bras *sade*.

Autour de nous, on avait cessé de rire. Chacun voulait essayer. On plongeait et replongeait la main dans la caisse aux mots simples. Et puis on courait vers les deux tables, celle des préfixes et celle des suffixes.

Hippolyte voulait faire partager à tout le monde sa découverte :

– Regardez ! *Brouiller*, c'est le petit frère de *Brouillard*. Il ne paie pas de mine. Eh bien, on peut fabriquer *Débrouiller*, *Débrouillard* et *Débrouillardise* !

Rachida était concentrée, pour une fois, tombée raide amoureuse de *Gel*. Au début, elle avait pensé à la pâte transparente dont on se tartine les cheveux pour qu'ils se tiennent tranquilles.

Mais l'autre signification du mot l'avait tout de suite amusée : ce qui se passe quand la température descend en dessous de zéro. Il faut dire que sur notre île tropicale, nous ignorons le froid. Nos seuls glaçons viennent de nos vieux

et ronflants réfrigérateurs… quand l'électricité n'est pas coupée. Rachida jouait avec *Gel* comme si c'était une boule de neige, en la faisant sauter d'une main à l'autre. Pauvre *Gel*, je ne sais pas s'il appréciait. Et elle le costumait de tous les vêtements possibles, comme si c'était une poupée : *Surgeler*, *Congeler*, *Dégeler*, *Gelure*, *Engelure*…

Je ne parle pas d'Apolline, devenue folle des diminutifs (vous comprendrez mieux si je vous dis qu'elle est minuscule, quasi naine).

Côte, Côtelette, Barbe, Barbiche, Brin, Brindille, Rue, Ruelle...

Elle s'applaudissait elle-même : que les choses sont mignonnes quand elles sont petites !

Et Gaël, qui ne comprend jamais rien... Il voulait qu'on l'aide à percer un mystère :

– *Conjugal*, je vois bien ce que ça veut dire, quelque chose qui intéresse un mari et sa femme. Mais *Extra*-conjugal ?

Personne ne lui répondait. On avait trop à faire. On riait quand même de sa question. Surtout quand on connaissait sa mère, pas très fidèle comme épouse, passionnée de la musique en général et de certains musiciens en particulier, principalement les batteurs.

– Calmez-vous, répétait la grammairienne. Quels fous vous faites ! Vous allez tout renverser. Et si vous criez trop fort, Nécrole va vous entendre.

On voyait bien qu'elle faisait semblant, elle jouait mal la sévère. Elle n'arrivait pas à cacher son sourire. Elle nous avait transmis sa maladie, sa passion d'architecte des mots.

« La fabrique des mots ».

Avant de la connaître, j'imaginais une usine plutôt sinistre, des ouvriers seulement sérieux, de la mécanique de haute précision.

Alors que c'était plutôt la fête, dans la mine d'or, un joyeux désordre.

102

Je ne vous ai pas raconté la sarabande au-dessus de nous. Et vérification faite, il ne s'agissait pas de ces chauves-souris dont mes cheveux ont tellement peur.

Un mot s'efforçait d'échapper à un groupe de camarades. Il sautait de poutre en poutre. Il tentait de voler.

J'ai mieux regardé.

Le poursuivi, c'était *Bonheur*. Et parmi ceux qui le pourchassaient (*Pour* chasser), j'ai reconnu *Joie*, *Gaieté*, *Sérénité*, *Plaisir*. Et ils criaient :

— Pour qui te prends-tu, *Bonheur* ? Oh, le prétentieux ! Viens discuter si tu l'oses !

Je me suis retournée vers la grammairienne, afin qu'elle m'explique.

— C'est tous les jours pareil. Ça devient agaçant, à la fin.

— Mais enfin que se passe-t-il ?

— La jalousie des synonymes. Tu les connais ?

— Ce sont des mots qui veulent dire la même chose.

— Bravo, Jeanne ! Eh bien justement. Ils trouvent qu'on parle trop de *Bonheur* et pas assez d'eux.

— Mais *Bonheur* et *Plaisir*, ça ne raconte pas la même histoire. Pas plus que *Bonheur* et *Satisfaction*, ou *Bonheur* et *Contentement*.

— Tu as tout à fait raison.

— Alors deux mots ne disent jamais la même chose ?

— Jamais, Jeanne ! Jamais. C'est pour cela qu'on a tellement inventé de mots, depuis des siècles et des siècles. Pour ne rien perdre de la diversité du monde.

— Et ne rien perdre non plus de la diversité des sentiments.

– Jeanne, malgré ton très jeune âge, tu as tout compris.

Et figurez-vous qu'elle m'a embrassée, oui, la grammairienne d'envergure mondiale, sur les deux joues.

Avec *Fier* (qui vient du latin *ferus*, « sauvage »), on peut construire, en ajoutant le suffixe *té*, l'émotion particulière que j'ai éprouvée à cet instant-là : *Fierté*.

Pauvre Laurencin !

Elle avait beau montrer sa montre, crier qu'il se faisait tard, nous ne l'écoutions pas, tout à nos fabrications.

Et l'Élégant ?

Il aurait dû lui venir en aide. Et nous chasser.

Au contraire, il nous regardait, attendri.

– Comme vous me faites chaud au cœur, les jeunes ! Oui, c'est grâce à vous que notre langue sera sauvée !

Nous n'avons consenti à sortir de la mine d'or qu'à la nuit tombée. Bonne nouvelle. Elle allait nous protéger des policiers.

Mais qu'allaient dire nos parents ?

Oh, ils n'avaient pas trop intérêt à nous chercher noise ! À la moindre réprimande, ils recevraient leur rafale. Nous avions fait provision de trop de jolis mots pour nous laisser accabler sans répondre.

XIII

Où l'on apprend
que les mots sont élus, tout de même
que les hommes politiques

Pauvre Nécrole, s'il avait su !

L'île entière était entrée en *Résistance*, un mot dont Colette Bonaventure avait haut et fort (pour que sa sœur l'entende et jaunisse de jalousie) confirmé la racine latine : *sistere*, « s'arrêter ».

Un jour, on refuse ce que des fous nous imposent. On se dresse. Et on dit NON.

Telle était notre humeur combattante, des plus jeunes aux vieillards. Tous unis par la même évidence : abandonner nos mots, c'était perdre l'un de nos Grands Trésors. Et des voyageurs nous rappelaient que dans d'autres pays, d'autres dictateurs avaient tenté de bâillonner l'autre Grand Trésor : la musique.

Et notre première manière de dire NON, ce fut d'aimer comme jamais ceux dont on voulait nous priver.

Partout dans l'archipel on faisait fête aux mots. On puisait dans sa mémoire. On collectionnait les plus

rares. On ouvrait des marchés pour les échanger :
« J'ai dans mon panier *Pusillanime*, ce petit couard,
et *Quinquagénaire*, qui fait bien moins que son âge.
Et toi, qu'est-ce que tu m'offres ? »

Pauvre Brochet, s'il avait su !

Il avait beau passer et repasser sa tête pointue derrière la vitre, il n'y voyait que du feu. Notre tableau
noir était couvert de chiffres, pour donner le change.
Mais nous ne nous occupions que de mots.

Par exemple, nous votions.

Comme vous savez, Laurencin nous avait habi-
tués à cette pratique d'adultes. Quel que soit le sujet
nous discutions. Passionnément. Elle obligeait tout
le monde à donner son avis, même Philippe, notre
timide. Puis l'un après l'autre, nous venions déposer
notre bulletin dans l'aquarium de feu le poisson rouge.

Pour l'élection de notre mot préféré, je vous donne les résultats.

1. *Assassin* : 11 voix.

Sûrement parce que le Capitan nous avait appris son origine légendaire : aux environs du Liban, un groupe de trafiquants de haschisch, forcément très cruels.

2. *Prince* : 8 voix.

Vote majoritaire chez les filles à cause du *Petit Prince* et de leur rêve naïf mais inguérissable de Prince Charmant.

3. *Antépénultième* : 3 voix que je ne peux expliquer.

Et moi, Jeanne, mon mot préféré ?
Préférer, figurez-vous.

– Et comment l'as-tu fabriqué ?

– Facile. Deux petits mots latins empruntés à Colette Bonaventure, *prae*, qui veut dire « devant » et *ferre*,

qui veut dire « porter ». « Porter devant » ou « mettre
en avant ».

– Et qui préfères-tu, Jeanne ?

– Oh, regardez !

– Elle a rougi.

– Je préfère…

– Oh, elle va répondre !

– Quelqu'un de la classe ?

– Je préfère celui qui va venir.

Une double question me tarabustait parmi les
mots, pourquoi certains ne durent-ils qu'un seul été
et disparaissent dès l'automne ?

Et pourquoi d'autres s'installent-ils dans notre
langue pour toujours ?

Laurencin m'a répondu :

– C'est une sorte de vote, Jeanne, un vote géant
sans bulletins. La population vote pour le mot qu'elle
aime en l'utilisant. Et ainsi, jour après jour, son usage
s'étend. Bientôt, tout le monde l'utilise. Il y a des mots
dont personne ne veut. Et d'autres qui trouvent tout
de suite un public immense. Regarde *Internaute*. Il faut
dire que celui qui l'a construit est un génie. D'abord
inter pour indiquer des relations. Et *naute* qui veut
dire « marin » comme dans *Nautique* et aussi dans
Cosmonaute : l'*Internaute* est un marin qui navigue
sur la Toile en cherchant le contact des autres…

– Merci ! J'ai appris deux choses depuis le début
de notre guerre. Premièrement, la langue est une
grosse bête vivante, elle n'arrête pas de bouger tout
le temps, de changer, emprunter, rejeter, inventer…

Et deuxièmement, la langue et ceux qui la parlent sont unis comme s'ils formaient ensemble un même tissu.

– Tu as raison, Jeanne. Les hommes créent les mots qui à leur tour créent les hommes. C'est pour cela que Nécrole va se casser les dents. Il ne pourra jamais nous séparer, nous et les mots.

XIV

Où l'on reçoit de la visite,
peut-être même des renforts

J'espérais qu'ils ne m'avaient pas vue. Un trio de survêts et capuches comme on en montre dans les films pour faire peur. J'accélérai. Mais pas de chance ! L'un des trois pointa son doigt dans ma direction. Je me mis à courir, tout en pestant contre moi-même : pourquoi, mais pourquoi Jeanne la débile, pourquoi as-tu choisi ce chemin isolé, derrière le port, dans la zone pourrie des entrepôts ? En même pas 100 mètres, ils m'avaient rattrapée.

— Flippe pas, on va pas te manger ! On voulait juste te demander…

— Mon frère a raison, on voulait juste savoir…

– … Où habite le type au nom chelou.

– Oui, il s'appelle Capitan.

– Ou quelque chose de pas net de ce genre.

Je commençai à me calmer. Mon cœur reprit un rythme presque normal. Vérification faite, ils avaient de bons sourires sous leurs capuches.

– Qu'est-ce que vous lui voulez ?

– On lui apporte un cadeau.

– Le kif de sa vie.

– On a entendu sa légende.

– On veut en être.

Maintenant que ma frayeur s'en allait, le trio m'intriguait de plus en plus.

– Mais d'où venez-vous ?

– De très loin.

– Même que c'est notre premier voyage.

– On n'avait jamais quitté la cité.

– Mais on a vu sur le Net.

– On veut le rencontrer. Il sera pas déçu.

Je les regardai. Finalement, je les sentais plutôt bien. Et qu'est-ce que je risquais ? Il s'ennuyait tellement, notre Capitan ! Et au pire, il saurait se défendre malgré son âge. Il en avait rencontré de plus terribles.

*
* *

Le Capitan ne remarqua pas tout de suite leur présence, trop occupé qu'il était à raconter à son chat Newton son voyage en Antarctique.

– La nuit, on se relayait pour guetter. Car les icebergs, souvent gros comme deux fois l'église, n'aiment rien tant que dériver doucement vers nous, non qu'ils soient méchants mais, comme toi tu ne peux t'empêcher de croquer les souris, il est dans la nature des icebergs d'écraser les bateaux.

Si l'une des capuches s'était moquée, ne serait-ce qu'en esquissant le moindre sourire, je les aurais plantées là. Mais je ne voyais dans leurs yeux que du respect. Alors je me suis avancée.

– Capitan, bonjour ! Pardon de te déranger. Ces jeunes gens sont venus de très loin pour t'offrir un cadeau.

Mon vieil ami hocha plusieurs fois la tête, le temps de revenir de l'Antarctique.

– Soyez les bienvenus. Et remerciés. Pourquoi cet honneur ?

– À cause de vos dictionnaires. Votre collection est trop belle, on veut la compléter.

Le Capitan grimaça. Il n'avait plus la force de reprendre une nouvelle fois le récit de l'incendie. Il soupira.

Alors l'un des jeunes sortit de son blouson un cahier d'écolier. Et en s'inclinant, à la japonaise, il le tendit au Capitan.

– De quoi s'agit-il ?

– Nos mots. Les mots de la cité. On voudrait…

– Enfin, on souhaiterait…

– Si vous acceptez, bien sûr…

– Si vous les jugez dignes…

– … Qu'ils rejoignent votre collection.

Le Capitan commença de feuilleter.

– Ah, je vois, beaucoup de verlan, l'envers de l'envers. C'est vrai que c'est amusant de fabriquer des mots nouveaux en inversant les anciens. Ça me rappelle ma jeunesse. *Keuf, Meuf, Vénère, Rebeu…* d'accord, mais rien de bien nouveau. Ah, voici plus intéressant ! *Nuggets* pour « Policiers ». Attendez que je devine. Parce qu'ils sont des poulets ? Et que dans leur fourgon, ils sont souvent six, donc *Boîte de six* ? Et les *Nuit grav'*… Vous voulez dire « cigarettes » ? C'est ça ? Parce qu'elles nuisent gravement à la santé ?

Il avait éclaté de rire.

Je ne vous dis pas la fierté des capuches.

Mon Capitan se régalait.

– *Alcatraz*, ça veut dire quoi ?

– On dit : « Je suis Alcatraz » quand tes parents te privent de sortie.

– Et *Bédave* et *Bicrave* et *Bouillave* ?

– « Fumer un joint », « dealer », « faire l'amour ». Ça vient des gitans.

– Et *Poucave* ?

– Une « balance ».

– Et *Meskine* ?

– Un « pauvre mec », trop facile de lui mettre un CP.

– Pardon ?

– Un coup de pression, l'intimider quoi !

Je me suis éclipsée. Je les ai laissés entre eux. Le Capitan s'amusait trop. Il avait retrouvé son entrain. Peut-être que le cahier du parler *caillera* (la langue de la « racaille ») serait le premier volume de la bibliothèque qu'il allait bien finir par reconstruire ?

XV

Où les officiels se révoltent
et s'ensuit une teuf géante

– Maîtresse, maîtresse !

– Eh bien, Apolline. Tu as vu l'heure ? Si toi aussi tu te mets à oublier ta montre…

– Maîtresse, maîtresse, je reviens du port. Je voulais voir de mes yeux…

– Bonne nouvelle ! Notre première de la classe sait employer ses yeux à autre chose qu'à lire.

– Tais-toi, Rachida. Continue, Apolline.

– Les bateaux prévus pour l'expulsion des mots étrangers. Ils sont quatre. Un pour l'Arabie, un pour l'Afrique noire, un pour le reste du monde. Et le dernier pour la France.

– Tu te trompes !

– On va renvoyer aussi les mots d'origine régionale, comme le breton ou le basque. Ah, une mauvaise nouvelle encore ! Le capitaine du port a été arrêté. Il voulait à tout prix retarder les départs. Il a ouvert son ordinateur. Il a montré au policier le temps pourri des prochains jours, l'enchaînement des dépressions. Sauf que le policier était le fils d'un journaliste météo. Il s'est tout de suite rendu compte que la carte présentée était celle… de novembre dernier.

– Pauvre Vincent !

– Pauvre et courageux Vincent !

– En attendant, il y a urgence.

– Car une fois nos amis partis, quand reviendront-ils ?

– Déjà que le fou nous a brûlé nos dictionnaires.

– Et avec ce vent alizé, à force de souffler, ils nous vide la mémoire. Pour oublier, chez nous, pas besoin d'être vieux.

– Bon ! Arrêtons de nous lamenter. Quelqu'un a une idée ?

Une fois de plus, c'est Rachida qui répondit :

– Il faut mobiliser les douze mots officiels. Je le sais de source sûre, ils s'ennuient trop. Et un mot qui s'ennuie est prêt à tout.

– Comment expliques-tu cela ? Ce Président leur offre tout.

– Sauf l'essentiel ! Comment veux-tu raconter quoi que ce soit avec seulement douze verbes ? Et des mots qui ne racontent pas, à quoi veux-tu qu'ils passent leurs journées ? Prenons un exemple. Tu as *Le Petit Prince*, maîtresse ?

Laurencin fouilla dans son cartable et lui tendit le livre de poche.

– Voici un extrait :

« J'ai ainsi vécu seul, sans personne avec qui parler véritablement, jusqu'à une panne dans le désert du Sahara, il y a six ans. Quelque chose s'est cassé dans mon moteur. Et comme je n'avais avec moi ni mécanicien, ni passagers, je me préparai à essayer de réussir, tout seul, une réparation difficile. C'était pour moi une question de vie ou de mort. J'avais à peine de l'eau à boire pour huit jours. »

– Et si maintenant on n'utilise que les mots autorisés par Nécrole, regardons ce qu'il reste : rien.

– Vous voyez ? À peine débutée, l'histoire s'arrête faute de combattants.

– Tu as raison. On dit que Dieu, ou le diable, est dans les détails. Les histoires aussi. Sans les détails, l'histoire n'est qu'un squelette. Et tous les squelettes se ressemblent. Qui s'intéresse aux squelettes ? C'est la chair, donc les détails, qui fait la différence.

– Combien de temps les douze vont-ils supporter de ne rien faire ?

– Un incident s'est déjà produit. La Présidence est parvenue à l'étouffer.

– Tu peux raconter, toi qui sais tout ?

– Si Mlle Laurencin considère que ce récit a valeur de devoir et qu'elle m'accorde 19/20.

– Tu ne crois pas que tu exagères ?

– Bon, bon. Ça ne coûte rien d'essayer, non ? Alors voilà. Avant-hier, Nécrole a donné un ordre à son colonel de gendarmerie : « Coffrez-moi illico ce terroriste de chanteur prétentieux, Monsieur Henri ! » Comme vous l'avez remarqué, aucun des mots que venait d'employer notre cher dictateur n'était sur la liste officielle. Ni *Coffrez*, ni *Illico*, ni *Terroriste* ni les autres. Ces mots ont hésité. Ils pouvaient faire la grève, refuser de remplir leur rôle de messagers bien dociles. Et d'autant plus facilement que, je vous le rappelle, ils étaient interdits. Ils ont préféré la jouer beaucoup plus subtile, voire vicieuse. Dès la sortie de la bouche présidentielle, ils ont changé de sens. Et voici ce que le colonel a entendu : « Accordez illico Légion d'honneur au chanteur valeureux Monsieur Henri ! »

Ainsi fut fait.

Deux heures plus tard, Monsieur Henri, éberlué, avait reçu sa médaille. Et il se promenait dans la ville en la montrant à tous. Il faut dire que sur sa veste blanche, le ruban rouge était du plus bel effet.

On imagine la fureur du dictateur. Avec pour conséquence l'immédiate dégradation du colonel.

Redevenu simple soldat, il alla consulter le médecin :
« Mes oreilles sont devenues folles ! » Pauvre
gendarme !

La classe applaudit.

– Belle histoire !

– Pour une fois, tu avais raison. Elle vaut bien un
devoir.

Laurencin rappela l'urgence de la situation.

– Le temps presse ! Rachida nous a donné la piste.

– Une révolte des mots ?

– Exactement. Dans la guerre, celui qui maîtrise la
communication remporte la victoire.

– J'ai une autre idée.

Tout le monde se retourna vers l'ami supposé des chevaux, Philippe le timide. Décidément, depuis sa visite au café du Palais de Justice, celui de la carte de Tendre, il avait pris de l'assurance.

– Dis-la vite !

– Venez près de moi. Maintenant, je me méfie des mots. On a beau fermer portes et fenêtres, ils circulent dans l'air. Allez, plus près !

Ah, le malin Philippe, il avait ainsi trouvé le moyen de se rapprocher de moi ! Pas plus rusé qu'un timide. J'ai compris ce jour-là que la timidité, vraie ou fausse, est la première des stratégies amoureuses !

C'est ainsi que, collé-serré par toutes les filles de la classe (et aussi par Laurencin : les timides ne doutent de rien), il nous fit part de son plan. Qui fut exécuté dès le lendemain matin.

XVI

Où l'on doit saluer
l'intelligence du rédacteur

Pour la suite (et fin), il suffit de lire, daté de la semaine suivante, l'exemplaire du *Kingston Standard*, le journal le plus légitimement réputé de notre pays voisin, la légendaire Jamaïque.

Disparition mystérieuse
de son Excellence le Très Distingué Président à vie
Vidiadhar Surajprasad Nécrole

Il semblerait bien que, avant-hier, dimanche, le palais du Très Distingué Président Nécrole se soit réveillé sans parole.

D'après nos informations, les événements suivants se seraient déroulés.

Lorsque, réveillé dès l'aube, comme à son habitude, le Président à vie voulut appeler pour son petit-déjeuner, aucun mot ne sortit de sa bouche. Pas plus de la sienne que de celle de son intendant, quand, inquiet du silence de son maître, il se résolut à entrer dans la chambre présidentielle pour prendre de ses nouvelles.

La suite de la matinée se poursuivit dans cet inquiétant silence. À croire que le film de la vie présidentielle était soudain devenu muet. Pire que muet. Car impossible de tenir la moindre réunion. Même par écrit. À peine les lettres déposées sur le papier, elles disparaissaient, à peine le mot formé, il s'en allait on ne sait où et la feuille redevenait blanche.

On dit aussi qu'un des conseillers du Président à vie, se saisissant dans la bibliothèque d'un livre technique dont il avait besoin (*Recueil de jurisprudence administrative*), aurait constaté que ses pages étaient vides : plus un titre, plus un commentaire, plus de notes explicatives. Rien que la surface lisse et blanche du papier.

Davantage que d'hémorragie, il faut parler d'évasion. Quelle explication pour un phénomène tellement étrange ? Une légende commence à courir par la ville. Faut-il y prêter foi ?

La nuit précédente, on aurait vu un musicien tourner autour du palais présidentiel. Il ressemblait à celui que là-bas on appelle « Monsieur Henri ». Il jouait sur sa guitare l'une des mélodies de sa composition, très douce, très lente. Et c'est sur cette mélodie que seraient venus se poser tous les mots du palais, comme pour apporter des paroles à cette musique. Et ensemble, le musicien, sa guitare et sa chanson géante se seraient dirigés vers la mer.

Quittons le domaine de la légende et parlons maintenant de ce qui est avéré, certain et constaté.

Premièrement : au matin, tous les mots, oui TOUS les mots de l'île, ceux des livres, ceux des enseignes et des réclames, ceux de la radio nationale, ceux de la mémoire et de l'imagination des gens, les douze mots de la liste officielle, comme les mots étrangers enfermés dans la volière dont quelqu'un avait très vite ouvert la porte, tous les mots, même ceux inscrits au fronton des églises et sur les croix des tombes, tous s'étaient donné rendez-vous sur la plage et firent si longuement la fête avec les musiciens de Monsieur Henri qu'il fallut les supplier, le lendemain, de reprendre le travail, toute menace étant désormais écartée.

Deuxièmement : le Président à vie, muet désormais et par suite privé de toute arme, a disparu, enfui vers une destination que nul ne connaît à ce jour.

Force est de constater, sans aucun parti pris politique, que cette nouvelle, une fois connue sur la plage, a relancé l'intensité de la fête.

Note du rédacteur en chef.

Nous avons hésité à relater cette troublante affaire. Seul notre habituel respect absolu de la vérité nous a déterminés. Mais nous en sommes bien conscients, et soyez-le de même : le risque demeure d'avoir donné aux mots l'idée, un beau jour, de s'en aller, suite à quelque mauvais traitement, vrai ou supposé, qui leur aurait été infligé.

Alors que deviendrait notre journal, s'il prenait la fantaisie aux mots de ne plus accepter de rester tranquilles sur les pages, aux places exactes que nous leur avons données ? Que resterait-il de nous, pauvres îliens abandonnés, privés soudain du moyen de bavarder, conter fleurette et refaire le monde ? Et la musique, sans nul doute, ferait cause commune avec ses complices les mots. Elle prendrait à leur suite la poudre d'escampette. Et vous savez vivre sans musique ? Moi pas.

Ainsi concluait le rédacteur en chef. J'ai gardé l'exemplaire du journal. Je peux vous en communiquer copie.

Cet homme-là avait tout compris.

Et d'abord que cette histoire est dangereuse.

Voilà pourquoi j'ai tardé si longtemps à vous la raconter. Pour ne pas donner aux mots l'idée de se venger de notre indifférence et des mauvais traitements que nous leur infligeons.

L'été dernier, je me suis dit que j'étais une imbécile (je me le dis souvent, pas seulement l'été dernier). Il fallait, au contraire, rappeler ce que nous devons aux mots, nous qui les respectons si mal alors qu'ils sont nos plus vieux, nos plus divers et nos plus fidèles amis.

D'accord, c'est nous, les humains, qui avons créé les mots.

Mais eux, en retour, ils n'ont pas cessé de nous inventer.

Que serait l'amour sans mots d'amour ?

Par exemple.

REMERCIEMENTS

Merci à mes consœurs et confrères de l'Académie française, inlassables fabricants du dictionnaire.

Merci à Danielle Leeman, grande grammairienne, aussi savante que malicieuse. Et généreuse. Sans elle, sans son soutien vigilant et amusé, jamais je ne me serais lancé dans l'écriture de ces petits contes.

Merci à Alain Rey et à Henriette Walter. Chacun de leurs livres me fait découvrir de nouvelles richesses dans le royaume enchanté de la langue française.

Merci à Xavier North, directeur général de la langue française et des langues de France. Croyez-le si vous le voulez, c'est ce très haut et digne fonctionnaire qui m'a fait cadeau de certains mots de nos banlieues.

Merci, bien sûr, à Catherine Salvador.

Merci aux élèves de la classe de Mme Valentin, école Éblé, 14, rue Éblé, Paris. Je n'oublierai jamais leur accueil.

Merci à Mme Stiévenart, inspectrice de l'Éducation nationale sur la circonscription de Paimpol. Grâce à elle, aux conseillers pédagogiques Marie-José Paranthoën, Alain Botrel et Franck Couturier, et aux enseignants des écoles de Lanmodez (Gwénaëlle Davy), Lézardrieux

(Nadine Dubois), Plemeur-Gautier (Ronan Le Ven), Pleu-
daniel (Sophie Campagne), Bréhat (Maud Galand), Poul-
douran/Trédarzec (Catherine Ravily) et Pleubian (Jérôme
Billon), de jeunes élèves ont pu m'apporter leurs critiques
(impitoyables).

Merci, enfin et surtout, à Marie Eugène, jeune génie de
l'édition, aussi méticuleuse que poétique. C'est elle la fabri-
cante de la fabrique.

Et que dire à Camille (Chevrillon) ? Deux mots : admi-
ration et gratitude.

Erik Orsenna
dans Le Livre de Poche

L'Avenir de l'eau n° 31875

Dans dix ans, dans vingt ans, aurons-nous assez d'eau ? Assez d'eau pour boire ? Assez d'eau pour faire pousser les plantes ? Assez d'eau pour éviter qu'à toutes les raisons de faire la guerre s'ajoute celle du manque d'eau ? Dans l'espoir de répondre à ces questions, je me suis promené. Longuement. Du Nil au Huang He (fleuve Jaune). De l'Amazone à la toute petite rivière Neste, affluent de la Garonne. De l'Australie qui meurt de soif aux îles du Brahmapoutre noyées par les inondations… J'ai rencontré des scientifiques, des paysans, des religieux, des constructeurs de barrages […]. De retour de voyage, voici maintenant venu le moment de raconter. Un habitant de la planète sur six continue de n'avoir pas accès à l'eau. Un sur deux vit sans système d'évacuation. Pourquoi ?

La Chanson de Charles Quint n° 31279

L'histoire de deux frères qui vivaient dans la même ville, mais chacun d'un côté du fleuve. L'aîné, qui avait vécu de nombreuses histoires d'amour, savait qu'il n'avait pas aimé.

Le cadet n'avait connu qu'un amour de jeunesse et avait fini par l'épouser trente ans plus tard.

Les Chevaliers du Subjonctif   n° 30536

Il y a ceux qui veulent gendarmer le langage et le mettre à leur botte, comme le terrible Nécrole, dictateur de l'archipel des Mots, et la revêche Mme Jargonos, l'inspectrice dont le seul idéal est d'«appliquer le programme». Et puis il y a ceux qui ne l'entendent pas de cette oreille, comme Jeanne et Thomas, bientôt traqués par la police comme de dangereux opposants... Leur fuite les conduira sur l'île du Subjonctif. Une île de rebelles et d'insoumis. Car le subjonctif est le mode du désir, de l'attente, de l'imaginaire. Du monde tel qu'il devrait être... Après l'immense succès de *La grammaire est une chanson douce*, Erik Orsenna, académicien hors norme, poursuit son combat en faveur de la langue, non pas en *magister*, mais en poète, en homme épris des mots et des vastes horizons qu'ils nous ouvrent.

Dernières nouvelles des oiseaux   n° 30773

Ce soir-là, le président présidait une remise de prix au lycée de H. Dès le cinquième très bon élève, il bâilla. Tandis que se poursuivait l'éprouvante cérémonie, l'idée arriva dans son cerveau et, s'y trouvant bien sans doute, commença de germer. Une idée simple, une idée scandaleuse. D'accord, il faut récompenser les très bons élèves, mais pour quelle raison ceux que je vois ce soir monter un à un sur la scène sont-ils tellement ennuyeux ? [...] Pourquoi ne pas couronner d'autres enfants, des talents cachés, des passionnés qui explorent sans relâche, qui ne supportent que la liberté, que les devoirs qu'ils se donnent eux-mêmes?

Deux étés n° 14484

Une île au large de la Bretagne. Des étés charmeurs, la vaste étendue bleue saupoudrée de rochers roses… Et puis un jour, dans ce paradis, arrive un jeune homme, Gilles, qui a accepté une mission impossible : traduire en français *Ada ou l'Ardeur*, le chef-d'œuvre… intraduisible de Vladimir Nabokov. Impatience de l'éditeur, pressions d'un écrivain génial et insupportable… Ce sont finalement les voisins, les amis de passage, qui, sous l'impulsion d'une dame attendrie, vont entreprendre de venir en aide au malheureux traducteur. S'ensuivront deux étés d'aventure au cœur des mots. Deux étés où la musique d'un texte va naître de la douceur de vivre, de l'harmonie environnante. De cet épisode étonnant et réel, Erik Orsenna, vingt et quelques années plus tard, a tiré un récit tout de poésie et d'humour, celui de l'apprentissage de l'enchantement.

L'Entreprise des Indes n° 32290

Les bateaux ne partent pas que des ports, ils s'en vont poussés par un rêve. Bien des historiens ont déjà commenté et commenteront la Découverte de Christophe et disputeront de ses conséquences. Étant son frère, celui qui, seul, le connaît depuis le début de ses jours, j'ai vu naître son idée et grandir sa fièvre. C'est cette naissance, c'est sa folie que je vais raconter.

Et maintenant ? Je savais bien que jamais je n'en aurais fini avec la ponctuation. Aussi longtemps que je vivrais, et donc aussi longtemps que j'écrirais, je me battrais avec les signes, je m'acharnerais à bien placer les virgules. Et les points. Et les points-virgules. Sans oublier les tirets, les crochets, les chevrons auxquels je n'avais pas jusqu'ici prêté assez d'attention. Mais une petite voix me parlait. Elle me venait de tout au fond, là, au milieu du ventre, entre cœur et nombril : — Toi aussi, tu as une histoire, Jeanne, ton histoire secrète. L'heure est venue de la raconter. Après *La grammaire est une chanson douce, Les Chevaliers du Subjonctif* et *La Révolte des accents*, Jeanne et Tom, les héros d'Erik Orsenna, poursuivent leurs aventures grammaticales.

La grammaire est une chanson douce n° 14910

«Elle était là, immobile sur son lit, la petite phrase bien connue, trop connue : Je t'aime.
Trois mots maigres et pâles, si pâles. Les sept lettres ressortaient à peine sur la blancheur des draps. Il me sembla qu'elle nous souriait, la petite phrase.
Il me sembla qu'elle nous parlait :
— Je suis un peu fatiguée. Il paraît que j'ai trop travaillé. Il faut que je me repose.
— Allons, allons, Je t'aime, lui répondit Monsieur Henri, je te connais. Depuis le temps que tu existes. Tu es solide. Quelques jours de repos et tu seras sur pied.
Monsieur Henri était aussi bouleversé que moi. Tout le monde dit et répète "Je t'aime". Il faut faire attention aux mots. Ne pas les répéter à tout bout de champ. Ni les

employer à tort et à travers, les uns pour les autres, en racontant des mensonges. Autrement, les mots s'usent. Et parfois, il est trop tard pour les sauver. »

Histoire du monde en neuf guitares n°15573

Tout commence dans la boutique d'un luthier, avec l'arrivée d'un jeune homme désireux de vendre une guitare. L'artisan va le dissuader et lui conseille d'apprendre d'abord à mieux connaître cet instrument magique… C'est le début d'un long voyage parmi les siècles et les civilisations. Car la guitare est presque aussi vieille que l'homme. Des pyramides d'Égypte aux derniers temps de l'empire inca, de la cour de Louis XIV aux champs de coton du vieux Sud américain, des doigts de Django Reinhardt à ceux de Jimi Hendrix, elle connaît toutes les musiques et sait dire tous les sentiments. Une histoire de la guitare, alors ? Oui, à moins que ce ne soit la guitare qui ait tissé l'histoire de l'homme, comme le suggère cette chronique contée avec érudition et tendresse par le romancier de *Madame Bâ*.

Longtemps n° 14667

Il était une fois Gabriel, un homme marié et fidèle. Pour fuir les tentations, il se consacrait exclusivement à son métier de paix et de racines : les jardins. Que Dieu soit maudit et tout autant célébré dans les siècles des siècles ! Par jour de grand froid, une passion arrive à notre Gabriel. Elle s'appelle Élisabeth, c'est la plus belle femme du monde. Hélas, deux enfants l'accompagnent et un époux l'attend : commencent le miracle et la douleur de l'adultère durable.

Non les frénésies d'une passade, mais trente-cinq ans d'un voyage éperdu à Séville, Gand et Pékin. Voici le portrait de cet animal indomptable et démodé : un sentiment.

Madame Bâ   n° 30303

Pour retrouver son petit-fils préféré qui a disparu en France, avalé par l'ogre du football, Madame Bâ Marguerite, née en 1947 au Mali, sur les bords du fleuve Sénégal, présente une demande de visa. Une à une, elle répond scrupuleusement à toutes les questions posées par le formulaire officiel 13-0021. Et elle raconte alors l'enfance émerveillée au bord du fleuve, l'amour que lui portait son père, l'apprentissage au contact des oiseaux, sa passion somptueuse et douloureuse pour son trop beau mari peul, ses huit enfants et cette étrange « maladie de la boussole » qui les frappe... Sans fard ni complaisance, c'est l'Afrique d'aujourd'hui qui apparaît au fil des pages, l'Afrique et ses violences, ses rêves cassés, ses mafias, mais aussi ses richesses éternelles de solidarité et ce formidable tissage entre les êtres. Quinze ans après *L'Exposition coloniale*, Erik Orsenna explore à nouveau les relations de la France avec son ancien empire. Mais cette fois, c'est le Sud qui nous regarde.

La Révolte des accents   n° 31060

Depuis quelque temps, les accents grognaient. Ils se sentaient mal aimés, dédaignés, méprisés. À l'école, les enfants ne les utilisaient presque plus. Chaque fois que je croisais un accent dans la rue, un aigu, un grave, un circonflexe, il me menaçait. — Notre patience a des limites, grondait-il.

Un jour, nous ferons la grève. Attention, notre nature n'est pas si douce qu'il y paraît. Nous pouvons causer de grands désordres. Je ne prenais pas les accents au sérieux. J'avais tort. Après *La grammaire est une chanson douce* et *Les Chevaliers du Subjonctif*, Erik Orsenna repart explorer les territoires mystérieux de la langue française.

Sur la route du papier   n° 32917

Un jour, je me suis dit que je ne l'avais jamais remercié. Pourtant, je lui devais mes lectures. Et que serais-je, qui serais-je sans lire et surtout sans avoir lu ? […] Alors j'ai pris la route. Sa route. De la Chine à la forêt canadienne, en passant par la Finlande, la Suède, la Russie, l'Inde, le Japon, l'Indonésie, l'Ouzbékistan, le Brésil, l'Italie, le Portugal et bien sûr la France, j'ai rendu visite aux souvenirs les plus anciens du papier. Mais je me suis aussi émerveillé devant les technologies les plus modernes. Saviez-vous que le chiffre d'affaires planétaire du papier l'emporte sur celui de l'aéronautique ? Comme je me préparais au départ, une petite voix m'avait soufflé : « Deux mille ans que la planète et le papier cohabitent. Plus tu en sauras sur lui, mieux tu apprendras sur elle. » La petite voix n'avait pas tort.

Voyage aux pays du coton   n° 30856

Cette histoire commence dans la nuit des temps. Un homme qui passe remarque un arbuste dont les branches se terminent par des flocons blancs. On peut imaginer qu'il approche la main. L'espèce humaine vient de faire connaissance avec la douceur du coton. Depuis des années, quelque chose me disait qu'en suivant les chemins du coton, de l'agriculture à l'industrie textile en passant par la biochimie, [...] je comprendrais mieux ma planète. Les résultats de la longue enquête ont dépassé mes espérances. Pour comprendre les mondialisations, celles d'hier et celle d'aujourd'hui, rien ne vaut l'examen d'un morceau de tissu. Sans doute parce qu'il n'est fait que de fils et de liens, et des voyages de la navette.

Salut au Grand Sud   n° 30853
(avec Isabelle Autissier)

Antarctique. La terre la plus australe et la plus mystérieuse, grande comme vingt-six fois la France. Antarctique. Un continent longtemps protégé de la curiosité des hommes par la brume, les tempêtes, les courants et les glaces. Antarctique. Grand repaire du froid, essentiel à notre climat. Mémoire des temps les plus anciens. Point de vue irremplaçable pour tous les scientifiques. Antarctique. [...] Le 8 janvier 2006, sur le fier voilier *Ada*, nous avons d'Ushuaia levé l'ancre. Cap au 180. Deux mois plus tard, nous sommes revenus. Nous allons tout vous raconter.

Du même auteur :

LOYOLA'S BLUES,
roman, Éditions du Seuil, 1974 ; coll. « Points ».

LA VIE COMME À LAUSANNE,
roman, Éditions du Seuil, 1977 ;
coll. « Points », prix Roger-Nimier.

UNE COMÉDIE FRANÇAISE,
roman, Éditions du Seuil, 1980 ; coll. « Points ».

VILLES D'EAU,
en collaboration avec Jean-Marc Terrasse,
Ramsay, 1981.

L'EXPOSITION COLONIALE,
roman, Éditions du Seuil, 1988 ;
coll. « Points », prix Goncourt.

BESOIN D'AFRIQUE,
en collaboration avec Éric Fottorino
et Christophe Guillemin,
Fayard, 1992 ; Le Livre de Poche.

GRAND AMOUR,
roman, Éditions du Seuil, 1993 ; coll. « Points ».

MÉSAVENTURES DU PARADIS,
mélodie cubaine, photographies de Bernard Matussière,
Éditions du Seuil, 1996.

HISTOIRE DU MONDE EN NEUF GUITARES,
accompagné par Thierry Arnoult, roman, Fayard, 1996 ;
Le Livre de Poche.

DEUX ÉTÉS,
roman, Fayard, 1997 ; Le Livre de Poche.

LONGTEMPS,
roman, Fayard, 1998 ; Le Livre de Poche.

PORTRAIT D'UN HOMME HEUREUX, ANDRÉ LE NÔTRE,
Fayard, 2000.

LA GRAMMAIRE EST UNE CHANSON DOUCE,
Stock, 2001 ; Le Livre de Poche.

MADAME BÂ,
roman, Fayard/Stock, 2003 ; Le Livre de Poche.

LES CHEVALIERS DU SUBJONCTIF,
Stock, 2004 ; Le Livre de Poche.

PORTRAIT DU GULF STREAM,
Éditions du Seuil, 2005 ; coll. « Points ».

DERNIÈRES NOUVELLES DES OISEAUX,
Stock, 2005 ; Le Livre de Poche.

VOYAGE AUX PAYS DU COTON,
Fayard, 2006 ; Le Livre de Poche.

SALUT AU GRAND SUD,
en collaboration avec Isabelle Autissier,
Stock, 2006 ; Le Livre de Poche.

LA RÉVOLTE DES ACCENTS,
Stock, 2007 ; Le Livre de Poche.

A380,
Fayard, 2007.

LA CHANSON DE CHARLES QUINT,
Stock, 2008 ; Le Livre de Poche.

L'AVENIR DE L'EAU,
Fayard, 2008 ; Le Livre de Poche.

COURRÈGES,
X. Barral, 2008.

ROCHEFORT ET LA CORDERIE ROYALE,
photographies de Bernard Matussière, Chasse-Marée, 2009.

ET SI ON DANSAIT ?,
Stock, 2009 ; Le Livre de Poche.

L'ENTREPRISE DES INDES,
roman, Stock, 2010 ; Le Livre de Poche.

PRINCESSE HISTAMINE,
Stock, 2010 ; Le Livre de Poche Jeunesse.

SUR LA ROUTE DU PAPIER,
Stock, 2012 ; Le Livre de Poche.

MALI Ô MALI,
Stock, 2014.

Le Livre de Poche s'engage pour
l'environnement en réduisant
l'empreinte carbone de ses livres.
Celle de cet exemplaire est de :
350 g éq. CO_2
Rendez-vous sur
www.livredepoche-durable.fr

**PAPIER À BASE DE
FIBRES CERTIFIÉES**

Composition réalisée par MAURY-IMPRIMEUR

Achevé d'imprimer en août 2014 sur les presses de
l'Imprimerie moderne de l'est à Baume-les-Dames (Doubs)
Dépôt légal 1re publication : août 2014
LIBRAIRIE GÉNÉRALE FRANÇAISE
31, rue de Fleurus – 75278 Paris Cedex 06

54/9999/4